r
4

Marguerite Dupuis

Hôtel Riviera

Elizabeth Adler

Hôtel Riviera

Traduit de l'anglais par Valérie Bourgeois

ÉDITIONS FRANCE LOISIRS

Titre original : *THE HOTEL RIVIERA*
publié par St. Martin's Press, New York.

Édition du Club France Loisirs,
avec l'autorisation des Éditions Belfond

Éditions France Loisirs,
123, boulevard de Grenelle, Paris
www.franceloisirs.com

À Dee Jay et Jeff Cooper

1

Lola

J'ai rencontré Jack Farrar par une de ces douces soirées un peu venteuses de la fin septembre auxquelles on devine en Provence que l'été est terminé. Je ne m'en doutais pas alors, mais cet événement allait changer ma vie.

Je m'appelle Lola Laforêt. Oui, je sais, vous devez me prendre pour une strip-teaseuse. Comme tout le monde. En fait, je suis le chef cuisinier et la patronne de l'hôtel Riviera, et il fut un temps, en Californie, où je portais le nom plus commun de Lola March, avant d'épouser « le Français ». Enfin, c'est une longue histoire.

Mon hôtel tourne depuis six ans déjà – encore qu'« hôtel » soit un bien grand mot pour cette vieille villa. Agréable mais sans prétention, il ne comprend que huit chambres, chacune dotée d'une porte-fenêtre ouvrant sur une terrasse où poussent à profusion jasmin et bougainvillées. Pour y accéder, il faut quitter Saint-Tropez en direction de Ramatuelle et, juste à la sortie de la ville, emprunter un long sentier ombragé de pins où les cigales stridulent à n'en plus finir. Non loin de là se trouve notre petite plage privée, dont le sable blanc s'égaie l'été de parasols bleu marine, de transats jaunes et de corps bronzés. Les enfants y courent au bord de l'eau pendant que leurs parents sirotent à l'ombre des boissons glacées. Puis, quand la chaleur devient trop forte, tous se retirent dans leur chambre aux volets fermés, les uns pour faire la sieste, les autres l'amour dans des draps frais.

Imaginez une crique ensoleillée que viennent lécher les vagues, et vous aurez une idée de l'emplacement de mon hôtel. On ne saurait rêver cadre plus propice à l'Amour avec un grand A. Sauf pour moi, sa créatrice.

En ce qui me concerne, l'Amour s'est évanoui en cours de route. Je n'ai jamais dîné aux chandelles ni bu du champagne avec mon Français, Patrick, devant les reflets argentés de la mer sous le clair de lune. Il ne m'a jamais pris la main par-dessus la table en plongeant son regard dans le mien. Oh non. J'étais toujours en cuisine, en train de préparer des plats délicieux pour des couples qui savouraient les instants romantiques auxquels j'aspirais, pendant que mon « amoureux » à moi jouissait des plaisirs nocturnes de Saint-Tropez.

Quand j'ai rencontré et épousé Patrick, il y a six ans, je voyais en lui mon « âme sœur ». Aujourd'hui, je ne crois plus à ce genre de chose. D'accord, je suis blessée, et j'ai conscience d'avoir toujours eu un faible pour les crapules. Les hommes forts,

fidèles, ceux sur qui on peut compter, je ne les intéresse pas, je semble appâter la racaille aussi sûrement que le vin attire les mouches.

Ce qui me ramène à Jack Farrar.

J'étais donc là, seule sur la terrasse, à profiter
d'un moment de répit avant que les premiers clients
ne descendent souper. C'était la période de l'année
que je préfère, quand la foule des touristes disparaît
et que la vie reprend un cours plus paisible. Pas un
nuage ne troublait le ciel, et tandis que la brise cares-
sait mes bras nus, je ruminais mes problèmes en
buvant un verre de rosé.

Il y a six mois, mon mari est parti au volant de sa
Porsche m'acheter, prétendait-il, un cadeau d'anniversaire. Comme d'habitude, il avait oublié la date,
mais je suppose que quelqu'un la lui avait rappelée.
Il portait ses lunettes de soleil et je n'ai pu déchiffrer son expression lorsqu'il a agité la main en signe
d'au revoir. Il ne souriait pas cependant. Ça, j'en
suis certaine.

Je ne l'ai plus revu depuis. Ni moi ni personne.
Tout le monde semble pourtant s'en moquer, bien
que je sois presque devenue folle à essayer de
retrouver sa trace. Certes, la police a entrepris des
recherches. Sa photo a été affichée partout, et les
enquêteurs ont suivi des pistes jusqu'à Marseille et
même Las Vegas. Sans succès. L'affaire est à présent en stand-by et Patrick rangé dans la catégorie
des portés disparus. Des « maris portés disparus »,
pour être plus précise. Le phénomène n'a rien
d'exceptionnel par ici, avec toutes les jolies filles

qui se promènent sur les plages et tous ces yachts remplis de femmes riches à millions.

Je pensais que les amis de Patrick pourraient me renseigner, mais ils ont juré ne rien savoir et, de toute façon, ce n'étaient pas mes amis. Je n'ai d'ailleurs jamais vraiment connu les hommes et les femmes qu'il fréquentait, trop occupée que j'étais à hisser notre hôtel vers la perfection. Et Patrick n'avait pas de famille. Il m'avait expliqué qu'il était le dernier des Laforêt, une lignée de marins-pêcheurs qui avaient vécu et travaillé à Marseille durant des décennies.

Puisqu'on parle de bateaux, j'en reviens encore à Jack Farrar.

Un petit sloop noir s'était immiscé dans mon champ de vision. Or, je déteste que ma crique soit envahie par des vacanciers fêtards qui mettent la musique à fond et hurlent à qui mieux mieux en se poussant dans l'eau. J'ai donc examiné l'intrus avec attention. Au moins ne s'agissait-il pas cette fois d'un énorme yacht. Au vrai, j'aurais été assez étonnée qu'un tel bâtiment ait été admis dans la marina de Saint-Tropez, même si son propriétaire en avait les moyens – ce dont je doutais, vu l'aspect pitoyable de l'embarcation. Voilà peut-être pourquoi il avait choisi de mouiller dans *ma* crique : il préférait profiter de la belle vue gratuite sur mon hôtel.

Le sloop a traversé l'horizon, puis louvoyé vers la baie où, comme je m'y attendais, il a jeté l'ancre.

Le télescope placé au bout de la terrasse m'a permis de déchiffrer son nom, *Sale Chien*, inscrit en lettres cuivrées sur la proue. J'ai ensuite déplacé la lunette d'un cran, et là, un homme a surgi dans mon objectif. Musclé, large d'épaules, les hanches étroites et… *ô mon Dieu ! totalement nu !*

Je sais que je n'aurais pas dû mais, je l'avoue, j'ai regardé. Sans me presser, qui plus est. Quelle femme s'en serait privée ? Après tout, il se tenait sur le pont de son bateau, près de plonger, affichant sa nudité presque comme un étendard. Je vous assure que le spectacle valait le détour – je parle de son visage, bien sûr, dont la beauté sortait de l'ordinaire. Cet homme était à l'image de son bateau : rude, bien charpenté, un peu patiné par les années.

Il a bondi dans l'eau et entamé un crawl impeccable vers le large, jusqu'à ce que je ne distingue plus que la fine écume laissée dans son sillage. À ce moment, j'ai perçu du coin de l'œil un mouvement sur le sloop. Étendue à l'arrière, une jeune femme blonde toute en jambes et vêtue d'un simple string rouge vif profitait des derniers rayons du soleil, quoiqu'elle n'en eût pas besoin, dorée à point comme elle l'était.

Son compagnon a alors regagné le bateau et je l'ai de nouveau eu dans ma mire. C'est là, me direz-vous, que j'ai commis une grossière erreur.

Il s'est ébroué sur le pont à la manière d'un chien trempé avant d'écarter les bras et de lever la tête face au soleil. Il est resté ainsi quelques secondes, bronzé, superbe, en osmose avec les éléments. Son geste m'a paru empreint d'une telle liberté que j'en ai eu le souffle coupé.

Il s'est ensuite dirigé vers la poupe pour y saisir une paire de jumelles. Très vite, il les a braquées sur moi et... *et il m'a surprise en train de l'épier !*

J'ai sursauté, rouge de confusion. Son rire moqueur a résonné jusqu'à moi, puis il m'a adressé un joyeux salut et, toujours hilare, a enfilé un short et commencé à nettoyer le pont avec nonchalance.

Voilà. Ç'a été ma première rencontre avec Jack Farrar. La suivante allait se révéler encore plus intéressante.

2

Je me suis réfugiée dans la salle à manger, au bout de la terrasse, afin d'inspecter les tables. J'ai astiqué un couteau par-ci, modifié la position d'un verre par-là, et, pour finir, je me suis examinée dans le miroir du bar. Une fois de plus, j'ai regretté de ne pas avoir les yeux en amande ni les cheveux cuivrés ou auburn – rien à faire, ils étaient carotte. Que n'avais-je non plus une recette pour éliminer les taches de rousseur, grandir, mincir, et peut-être aussi rajeunir de dix ans ! Après les événements des six derniers mois, force m'était de constater que j'accusais mes trente-neuf ans.

Je ne me sentais pas très séduisante non plus dans mon large pantalon de chef cuisinier et mon T-shirt blanc rétréci, sans rouge à lèvres et, pis encore, sans mascara sur mes cils roux.

Horrifiée, je me suis soudain vue telle que l'inconnu du bateau m'avait découverte dans ses jumelles. Il faut vraiment que je soigne davantage mon apparence, ai-je songé, même si ce type se fiche de moi. Puis je l'ai chassé de mon esprit avant de me diriger vers l'endroit au monde que je préfère : ma vaste cuisine carrelée, avec ses poutres anciennes et sa rangée de fenêtres envahies de plantes grimpantes.

Dès ma première visite, j'ai compris qu'elle m'était destinée. Elle m'a plus séduite que le panorama enchanteur de la baie, les sentiers, les pins et les jardins sauvages des alentours. Plus aussi que les chambres à l'étage et que le salon du rez-de-chaussée où trône une cheminée trop imposante pour une modeste villa de bord de mer. Il n'y a que dans cette pièce que je me sens chez moi.

Là, avais-je décidé, je remiserais mes projets de restaurant sophistiqué pour retrouver mes racines : le goût des plaisirs simples – produits locaux, fruits et légumes de saison. Je ferais griller du poisson pêché quasiment au pied de mon jardin, j'assaison-nerais mes plats avec des herbes aromatiques cueillies dans la nature. Dans cette pièce, j'ai su d'emblée que je pourrais me détendre et être moi-même.

Tout semblait si parfait. Mais mon « âme sœur » n'en était pas une, Patrick s'est volatilisé, et à présent mon seul amour demeure cet hôtel. Sans oublier Scramble, dont je vous parlerai plus tard.

Par chance, mon travail me satisfait pleinement et contrebalance ainsi le désastre de ma vie privée. Ce jour-là, des sauces mijotaient, un tiroir du congé-lateur était rempli de poissons argentés, des carrés d'agneau de Sisteron et des tians d'aubergines et de tomates attendaient d'être enfournés. Plus loin, sur la table alignée contre les fenêtres, deux tartes Tatin refroidissaient à côté d'un gros bol bleu rempli de vermouth dans lequel macéraient des morceaux de pêche. Venaient ensuite les sculptures en sucre cristallisé dont j'orne mes desserts – souvenir de mes rêves de restaurant chic. J'aime tant les « oh » et les « ah » qu'elles arrachent à mes clients... Et, comme toujours, il y avait un plateau débordant de ma spécialité maison, à savoir des brownies, que je sers avec le café.

Dans mon hôtel, vous ne verrez pas de larges assiettes blanches au milieu desquelles se détachent de minuscules « compositions gastronomiques ». Nos mets sont simples mais copieux, et nous ne décorons nos assiettes en grès que de fleurs coupées et de fines herbes.

En passant, j'ai embrassé mon assistante, Nadine, sur la joue. Née dans la région, cette brune aux yeux noirs et au teint mat m'a épaulée tout au long de ces six années cauchemardesques et m'a permis de survivre à plus d'un désastre culinaire grâce à son rire rocailleux et à son sens de l'humour. Elle gère l'intendance avec sa sœur, donne à l'occasion un coup de main en cuisine, tandis que j'assure la préparation des plats, me charge des courses et élabore les menus. Patrick était censé assurer la comptabilité. L'état de nos finances me fait douter de ses compétences en la matière.

Notre nouvelle recrue, Marit, coupait des légumes tandis que Jean-Paul, un « jeune homme » à tout faire de dix-sept ans, s'occupait du ménage. La pleine saison étant terminée, la soirée s'annonçait tranquille, avec juste les quelques clients demeurés à l'hôtel, et peut-être un ou deux nouveaux venus de dernière minute.

Je venais de mettre un CD de Barry White, mon idole du moment, et de ressortir avec un brownie quand j'ai buté sur Scramble. Bon, autant vous prévenir tout de suite, Scramble n'est ni un chien, ni un chat, ni même un hamster. C'est une grosse poule blanche. Je sais que cela peut paraître dingue, mais je me suis prise d'affection pour elle dès l'instant où, douce petite boule toute jaune, elle a émergé de sa coquille, et je me plais à penser qu'elle aussi m'aime bien – encore qu'on puisse difficilement savoir avec les poules. Tant pis si vous estimez mon cas désespéré, Scramble mérite mon amour plus que mon mari. Elle au moins n'est jamais infidèle, elle ne lorgne personne d'autre, et elle dort dans mon lit tous les soirs.

Pour l'heure, elle grattait avec énergie la terre entourant l'hibiscus rouge placé à l'entrée de la cuisine. Elle s'était approprié son pot en terre cuite depuis longtemps et se préparait à y passer la nuit, ou du moins à y attendre le moment où j'irais me coucher et où elle pourrait me rejoindre sur mon oreiller.

Je lui ai donné une tape affectueuse, à laquelle elle a répondu par un coup de bec.

— Ingrate, lui ai-je reproché. Je t'ai pourtant connue quand tu n'étais encore qu'un œuf !

De retour sur la terrasse, j'ai jeté un œil vers le sloop à bord duquel des lumières scintillaient et où

18

de joyeux drapeaux flottaient au vent. Je me suis demandé ce que mijotait son propriétaire. Débarquerait-il ce soir-là à l'hôtel pour le dîner ?

J'ai soupiré. À mon avis, il ne fallait guère y compter.

3

— Quel joli sloop, a commenté Mlle Nightingale. C'est assez inhabituel dans les parages, vous ne trouvez pas ?

— Oui. J'espère seulement que ses occupants ne troubleront pas votre dîner en mettant la musique à fond.

— Oh, ne vous inquiétez pas, ma chère. C'est un bateau de vrai marin, si vous voyez ce que je veux dire.

J'ai souri à ma cliente préférée. Mollie Nightingale, une Anglaise, institutrice et directrice d'école à la retraite, était devenue presque une amie. Même si nous ne nous l'étions jamais avoué, il existait entre nous un lien chaleureux, comme une reconnaissance mutuelle. J'admirais son intégrité, son sens de l'humour décalé et sa réserve, qui s'accordait à la mienne. Mlle Nightingale gardait ses opinions pour elle, mais même si je savais très peu de chose à son sujet, j'appréciais la femme qu'elle était à l'hôtel Riviera.

Elle avait été la première cliente de l'hôtel et revenait depuis régulièrement à la fin de la saison touristique. Les tarifs étant alors moins élevés, elle pouvait se permettre de séjourner un mois ici et de vivre son rêve annuel, seule à une table individuelle, un pichet de vin en face d'elle, un livre à la main et un sourire ou un mot aimable pour tous. Puis elle rentrait chez elle passer l'hiver dans son cottage des Cotswolds avec son yorkshire, Little Nell.

Mlle Nightingale devait avoir près de quatre-vingts ans. Petite et trapue, elle arborait ce soir-là une robe rose à motifs fleuris, son éternel collier de perles, et avait jeté un gilet blanc sur ses épaules, malgré la chaleur. À l'image de la reine d'Angleterre, elle ne se déplaçait jamais sans un grand sac à main dans lequel elle rangeait un mouchoir propre, son argent et son tricot. Certes, je ne suis pas sûre qu'Élisabeth II s'adonne au tricot, mais avec ses cheveux gris aux boucles sévères, ses yeux bleus perçants et ses lunettes pâles, la vieille institutrice lui ressemblait comme deux gouttes d'eau.

Fidèle à ses habitudes, elle avait rejoint sa table à l'extrémité de la terrasse afin de s'accorder un pastis – plaisir dont elle se réjouissait chaque fois par avance et qu'elle s'employait à faire durer jusqu'au dîner. Assise à ses côtés, je l'ai écoutée me raconter sa visite à la villa Ephrussi, l'ancienne résidence des Rothschild près de Saint-Jean-Cap-Ferrat. Elle aimait me décrire les jardins qu'elle découvrait au fil de ses pérégrinations et, parce qu'elle-même avait la main verte, on la voyait souvent s'affairer autour de l'hôtel, un chapeau de paille vissé sur le crâne, pour arracher ici une mauvaise herbe, là une branche de chèvrefeuille récalcitrante.

À la fin de son récit, elle a poussé un soupir de contentement devant le magnifique paysage. Nous étions à ce moment particulier de la soirée où, sur la Côte d'Azur, le ciel semble se fondre dans la mer et le monde se parer d'une teinte bleu nuit argenté. Dans le silence, les voix aiguës de mes employés flottaient jusqu'à nous depuis la cuisine. Un lézard s'est avancé et immobilisé le temps de nous dévisager de ses yeux jaunes.

— C'est divin, a murmuré Mlle Nightingale. Vous devez adorer cet endroit, ma chère. Comment pourriez-vous supporter de le quitter ?

Elle touchait là le cœur du problème.

Oui, j'adore cet endroit. Mais l'ennui est que je n'aime pas mon mari. Je n'éprouve plus pour lui que de la colère car je pense que, lorsqu'il est parti, il savait très bien qu'il ne reviendrait pas. Il m'a abandonnée sans un mot, sans me dire où il allait. Je n'ai jamais pu savoir ce qui lui était arrivé, ni même s'il était sain et sauf. À supposer qu'il se soit enfui avec une autre ou qu'il ait décidé de courir de nouveau le monde, la moindre des choses consistait à me prévenir. S'il avait des soucis, il aurait dû m'en faire part, et non me laisser seule ainsi, dans l'ignorance la plus totale.

— L'hôtel Riviera est ma maison, ai-je déclaré. C'est mon paradis. Je vieillirai ici en continuant à cuisiner, à servir mes clients, à boire du rosé et à m'émerveiller que le ciel soit si bleu au crépuscule. Oh non, mademoiselle Nightingale, je ne quitterai jamais mon hôtel, même si Patrick...

— Même si Patrick ne revient jamais, a-t-elle complété d'un air compatissant. Ma chère, vous croyez qu'il s'est sauvé avec sa maîtresse ?

J'avais si souvent envisagé cette explication, allongée dans mon lit, les nuits où le sommeil me fuyait, qu'elle s'était imposée à moi comme la seule possible.

— Mademoiselle Nightingale, ai-je répondu, désorientée, que dois-je faire ?

— Vous n'avez pas trente-six solutions, Lola. Il faut aller de l'avant.

— C'est-à-dire ? Jusqu'à ce que j'apprenne la vérité ?

Elle m'a tapoté la main, et je me suis presque attendue qu'elle me chuchote « Allons, allons... ».

— La vérité, ma chère, vous la trouverez en même temps que Patrick.

J'aurais voulu lui demander comment m'y prendre, mais d'autres personnes commençaient à arriver pour l'apéritif. Je me suis donc ressaisie, j'ai déposé un baiser sur sa joue poudrée et, après l'avoir remerciée de sa compréhension, je suis allée saluer mes hôtes.

4

Mlle Nightingale

Mollie Nightingale avait succombé dès le premier jour au charme et à la simplicité de l'hôtel Riviera – cette « maison de campagne au bord de la mer », ainsi qu'elle l'avait surnommée, ébahie par sa chance. Et elle s'était aussi attachée à Lola, qui affichait en permanence un sourire accueillant, même quand elle croulait sous le travail. Patrick, lui, ne s'était jamais mis en quatre pour ses clients. Ses efforts n'avaient visé qu'à séduire quelques hôtes féminines. De fait, il n'avait pas été très présent à l'hôtel, toutes ces années. N'était la souffrance de Lola, Mlle Nightingale aurait volontiers commenté son départ d'un « Bon débarras ! ».

Elle n'avait jamais voulu aborder le sujet de son infidélité, sachant que c'était peine perdue face à une femme décidée à fermer les yeux sur les frasques de son époux. Mais à présent Patrick s'était volatilisé. Si la nouvelle ne l'avait pas étonnée, elle trouvait en revanche bizarre qu'il n'ait pas d'abord réclamé sa part de l'hôtel. En tant qu'époux, Lola et lui devaient s'en partager la propriété – ce que Mlle Nightingale considérait comme une injustice criante. À ses yeux, son amie avait créé cet hôtel au même titre que Dieu avait créé l'homme.

Lola lui prodiguait autant d'attention qu'à une tante adorée. Enfin, grand-tante aurait été plus exact, supposait-elle, car, bien qu'elle eût horreur de le reconnaître, elle ne rajeunissait pas. Lola était trop polie pour s'enquérir de son âge, et elle trop fière pour le lui avouer, mais elle avait tout de même soixante-dix-huit ans. Pour autant, elle se sentait l'âme d'un oisillon, et avait gardé l'esprit aussi vif qu'au temps où elle dirigeait l'école pour filles Reine-Wilhelmine à Londres.

Elle discutait rarement de sujets personnels avec Lola, de sorte que les confidences de cette dernière l'avaient prise au dépourvu. D'ordinaire, les deux femmes se contentaient de parler du temps qu'il faisait, du menu, des vins, ou des endroits de la côte visités par la vieille dame sur un scooter Vespa en location. Elle connaissait à cet égard nombre de lieux isolés où même son amie n'avait jamais mis les pieds – par exemple cette villa délabrée, près de Saint-Jean-Cap-Ferrat, qui avait abrité au début du XXe siècle un hôtel ouvert par une chanteuse française du nom de Leonie Bhari. De l'avis de Mlle Nightingale, Lola présentait plus d'un point commun avec cette artiste ; elle aussi tenait pension sur la Côte d'Azur et ses relations avec les hommes étaient tout aussi catastrophiques.

Peu à peu, Mlle Nightingale avait regardé l'hôtel Riviera comme sa seconde maison. Oubliée, « la fille du châtelain », ainsi qu'on l'appelait autrefois dans le village qu'avait possédé sa famille au cœur des Cotswolds. Le temps avait passé, et elle vivait dorénavant dans l'ancien cottage du jardinier de ses parents, avec pour seule compagnie Little Nell, pour seule joie le souvenir de Tom, son mari, et pour seule perspective réjouissante son séjour en France à la fin de l'été.

C'était suffisant, songea-t-elle en avalant une nouvelle gorgée de pastis. Même si cela ne faisait guère travailler ses neurones, absence d'activité intellectuelle qu'elle déplorait autant que la perte de son cher Tom.

5

Jack

Son équipière ayant débarqué à Saint-Tropez pour y faire du shopping, Jack Farrar buvait tranquillement un verre sur le pont de son sloop.

Il rencontrait beaucoup de femmes au cours de ses voyages et Sugar, sa dernière passagère en date, ne faisait que s'ajouter à la liste de ces beautés prêtes à s'amuser qui n'exigeaient rien de lui – et surtout pas qu'il les épouse. De toute façon, quelle fille dotée d'un brin de jugeote aurait accepté de sillonner sans cesse les océans, d'affronter des tempêtes, de se nourrir de conserves et de se laver les cheveux à l'eau de mer des semaines d'affilée ? Aucune, à sa connaissance. En tout cas, avec aucune il n'aurait pu savourer de tels moments de paix.

De fait, rien ne valait ces instants qu'il passait seul sur le bateau avec son chien. Le silence, les étoiles au-dessus de sa tête et le vent dans les voiles... il n'y avait pas mieux. Voilà ce qui donnait tout son prix à la vie – ça, et aussi les grains qu'il essuyait lors de ses longues traversées à bord de son deuxième sloop, le *Dans une minute*. Tandis que son équipage et lui luttaient contre les vagues gigantesques qui menaçaient de les engloutir, son chien se terrait en gémissant dans la cabine, attaché à une bouée, au cas où. Arrimé quant à lui au gouvernail, l'adrénaline fusant dans ses veines, Jack bataillait contre les éléments jusqu'à triompher d'eux, et cette victoire finale constituait pour lui l'expérience la plus intense qui se puisse concevoir.

Même le plaisir sexuel ne soutenait pas la comparaison. N'ayant jamais laissé aucune femme s'immiscer dans son monde, il ignorait tout de l'incomparable émotion qui vous submerge quand l'amour s'y mêle. En somme, il n'avait pas encore trouvé celle qui le ferait autant vibrer qu'une mer déchaînée.

Jack était un loup solitaire, un vagabond qui se sentait chez lui dans tous les ports du globe. Il aimait cette vie et n'était pas disposé à y renoncer pour la première venue.

Ses conquêtes ne l'accompagnaient pas, bien sûr, lors de ses voyages au long cours. Son équipage se composait juste de six marins, parmi lesquels son ami mexicain Carlos Ablantes. Leurs chemins s'étaient croisés à Cabo San Lucas, une petite ville de Basse-Californie, au Mexique, où Jack voulait pêcher. C'était alors le mois de novembre, le temps tournait à l'orage et l'eau devenait trop froide pour les gros poissons. Carlos connaissait toutefois son affaire. Originaire de Cabo et très bon marin lui aussi, il l'avait emmené passer quelques jours en mer de Cortés. Là, leurs prises s'étaient résumées à une malheureuse dorade, mais ils avaient vite appris à s'apprécier et, sans échanger plus de quelques mots, avaient noué de solides liens d'amitié.

Plus tard, Carlos l'avait rejoint quelque temps dans le nord des États-Unis, puis était resté travailler au chantier de construction navale. Il naviguait avec Jack le week-end et le suivait lors de ses périples – sans oublier pour autant Cabo, où il retournait tous les deux ou trois mois, attiré comme par un aimant.

Côté cambuse, il se débrouillait très bien aussi. Ses *fajitas de camarones* étaient un régal et il préparait les meilleurs margaritas du monde. Lui et les autres membres de l'équipage devaient bientôt retrouver Jack près de Saint-Tropez avant d'appareiller en direction de l'Afrique du Sud, et plus précisément du Cap, où les attendaient le surf, des jolies filles à draguer et du bon vin à écluser.

Outre Carlos, Jack avait aussi rencontré au Mexique la seule femme qui eût vraiment compté pour lui – la charmante Luisa, avec ses cheveux bruns soyeux, ses yeux d'émeraude et sa peau de velours. Ils s'étaient aimés durant près de trois mois. Mais la passion fait mauvais ménage avec la vie de marin, et Jack tenait trop à celle-ci pour la sacrifier à une affaire de cœur. Il privilégiait d'abord ses amis, ensuite ses bateaux, puis son chien ; et leur seule compagnie suffisait à son bonheur.

Jack n'avait pas à se plaindre. Il gagnait assez d'argent pour mener la vie qu'il souhaitait et s'accorder quelques extra, et le chantier naval de

Newport où il construisait des yachts de course l'occupait pleinement quand il ne parcourait pas les mers.

Il songea à la femme qui l'avait observé nu dans son télescope un peu plus tôt ce soir-là. Quelque chose en elle l'intriguait. Sa longue crinière couleur caramel, ses pommettes hautes, ses lèvres pleines, le regard stupéfait de ses grands yeux marron piégés par les siens... Il sourit au souvenir de sa drôle de tenue et de sa mine choquée quand il l'avait prise en flagrant délit de voyeurisme.

Son petit hôtel perché en hauteur au milieu des tamariniers et des oliviers lui plaisait bien aussi. Même sans jumelles, il distinguait la masse fuchsia des bougainvillées et la flamme des bougies sur la terrasse. Des chambres émanait une lumière ambrée accueillante, et le chant des cigales s'élevait jusqu'à lui sur un air de musique. Elle aussi aimait donc Barry White ? Il sourit de nouveau en se remémorant son visage. Peut-être était-elle encore plus intéressante qu'il ne l'avait jugée à première vue.

De toute façon, il avait faim et il était évident qu'elle dirigeait un restaurant. Autant faire d'une pierre deux coups : s'offrir un repas digne de ce nom et vérifier par la même occasion si cette fille était aussi sexy que le laissaient supposer sa bouche et la chanson qu'il avait entendue.

Sans prendre la peine de se changer, il passa une main dans ses cheveux ébouriffés, remonta son short, enfila un T-shirt blanc et mit ses vieux mocassins. Ces chaussures étaient les plus confortables qu'il eût jamais eues, au point qu'il ne s'en serait

30

séparé pour rien au monde malgré leur âge et leur piètre état. Le chien noir à poil long qu'il avait sauvé de la fourrière quelques années auparavant gambadait à ses côtés, impatient d'aller se promener avec lui. Jack l'avait baptisé Sale Chien parce que l'animal n'avait jamais su se tenir en société. Puis, parce qu'il aimait autant son bateau, il avait donné le même nom à celui-ci.

— Désolé, mon vieux, fit-il en se baissant pour lui caresser la tête. Mais les autres clients n'apprécieraient pas tes qualités, surtout si tu essaies de piquer la nourriture dans leur assiette.

Jack se retint de rire. Son cabot était un pilleur de poubelles comme il en existait peu. Le bon vin et les mets raffinés servis à la lueur des bougies n'étaient certes pas pour lui.

Il remplit son écuelle, vérifia qu'il avait de l'eau fraîche et lui jeta un nouvel os à ronger avant d'embarquer dans son canot à moteur. Sale Chien tendit le cou par-dessus bord et le fixa d'un air dépité. Il détestait qu'on le laisse seul.

— À tout à l'heure, lui lança Jack.

Son embarcation fendit la surface lisse de l'eau vers le ponton de bois qui s'avançait dans la crique. À cet instant, il ne pensait déjà plus qu'à la mine de Mlle Crinière Caramel quand elle le reverrait. De près, cette fois.

6

Lola

Red et Jerry Shoup sont arrivés pour dîner juste après Mlle Nightingale. Je les avais surnommés la Danseuse et le Diplomate tant ils avaient le physique de l'emploi – elle avec son côté rousse flamboyante aux jambes interminables, lui avec ses cheveux argentés, son teint bronzé et ses manières charmantes. Installés en Dordogne dans une très belle maison de campagne, ils sont venus sur la Côte d'Azur suivre des cours de français intensifs.

Nous nous sommes fait la bise, et Red s'est déclarée épuisée. Ce soir, elle parlerait anglais, et tant pis si elle enfreignait le règlement de son école. Pouvaient-ils avoir leur bouteille de rosé habituelle tout de suite, avant de s'écrouler de fatigue ?

J'ai souri et commencé à retrouver le moral, comme toujours en présence de mes clients. Prendre soin des gens, les rendre heureux, voilà le but que je me suis fixé dans la vie.

32

Jean-Paul est apparu à son tour sur la terrasse, le crâne rasé, les oreilles percées, maigre et tout pâlot, faute de jamais voir le jour – il ne sort que dans les boîtes de Saint-Tropez. Vêtu du T-shirt blanc et or de l'hôtel, d'un pantalon noir et de baskets, il a joué les serveurs en apportant des olives, de la tapenade, des paniers de petits pains frais et des portions de beurre doux.

Des cris d'enfants ont résonné, bientôt couverts par la voix plus aiguë de Camilla Lampson, dite pour je ne sais quelle raison Budgie – la Perruche. Elle s'occupait de deux petits garçons qui logeaient à l'hôtel pendant que leur mère, une actrice américaine, passait l'été dans une villa à Cannes avec un homme bien plus jeune qu'elle. Très commère, Budgie nous avait expliqué avec indignation que cette femme s'estimait vieillie par la présence de ses enfants. C'étaient pourtant d'adorables bambins, et il me semblait qu'une mère capable de se débarrasser d'eux ainsi aurait eu grand besoin d'être examinée. À les voir courir sur la terrasse, j'ai même songé que j'aurais donné n'importe quoi pour en avoir deux comme eux mais, faisant preuve de bon sens pour une fois, j'ai décidé de ne pas me laisser aller à de telles pensées.

J'ai dit bonsoir aux deux garçons et me suis assurée qu'ils avaient chacun leur soda à l'orange avant de compatir au sort de Budgie, à qui son employeuse avait infligé un après-midi entier de shopping à Monte-Carlo. Estimant que cela lui ferait du bien, j'ai demandé à Jean-Paul de lui servir un kir, puis j'ai pris les commandes des uns et des autres et me suis dépêchée de me mettre aux fourneaux.

Mes derniers clients, des jeunes mariés anglais en voyage de noces, venaient de s'attabler lorsque j'ai émergé de la cuisine. Tous deux étaient si blonds qu'ils me rappelaient Scramble à sa sortie de l'œuf, et si amoureux que leur simple vue faisait fondre mon cœur endurci. Parce qu'ils devaient partir le lendemain matin et qu'ils affichaient une mine abattue, je leur ai offert une coupe de champagne avec les compliments de la maison. On aurait cru que je leur avais décroché la lune tant ils ont soudain rayonné de joie, aussi ai-je envoyé Jean-Paul leur apporter la bouteille rafraîchie dans un seau.

Nous étions donc là au grand complet, telle une joyeuse famille, mes employés, mes huit clients et moi, quand j'ai entendu le carillon de la porte d'entrée.

Au cas où, comme moi, vous auriez supposé qu'il s'agissait de l'inconnu du bateau, alias Jack Farrar, sachez que vous vous trompez complètement.

Ce n'était pas du tout lui.

Je me suis essuyé les mains sur mon tablier et j'ai couru accueillir le nouvel arrivant.

7

L'homme qui se tenait près de la vieille table en bois de rose faisant office de bureau de réception était courtaud, avec une mâchoire agressive, de gros biceps et des cheveux coupés ras à la manière des marines – même si j'ai tout de suite deviné qu'il n'en était pas un. Il me semblait trop tiré à quatre épingles pour ça. Et puis, sa montre voyante incrustée de diamants et ses lunettes de soleil, qu'il n'avait pas ôtées, ne collaient pas non plus. Il avait garé sa grosse Harley rouge vif juste devant la porte, posé son sac de voyage Louis Vuitton sur mon canapé de chintz et arpentait à présent le vestibule en fumant un cigare.

Je lui ai adressé un sourire de bienvenue mais il s'est contenté de m'examiner de la tête aux pieds.

— C'est vous la réceptionniste ?

Je me suis raidie.

— Je suis Mme Laforêt, la patronne.

Il a grommelé quelque chose et tapoté son cigare au-dessus du beau tapis de soie qui m'avait coûté les yeux de la tête lors d'une vente aux enchères à Paris. J'ai poussé vers lui un cendrier.

— Bonsoir, l'ai-je salué en me rappelant les bonnes manières, bien que lui en fût dépourvu. Que puis-je pour vous ?

Il a continué à me scruter derrière ses verres fumés, et j'ai soudain revu Patrick le jour de son départ, dont les lunettes masquaient l'expression. Sur la défensive, j'ai croisé les bras.

— Il me faut une chambre, m'a-t-il annoncé sèchement.

— Très bien. Combien de nuits comptez-vous rester ? ai-je répondu en même temps que je consultais mon cahier de réservations – pure comédie de ma part puisque je savais parfaitement qu'il me restait deux chambres.

— Trois ou quatre, peut-être plus. Je veux ce que vous avez de mieux.

— La Mistral possède la plus jolie vue sur la mer. Je suis sûre qu'elle vous plaira. Toutes nos chambres portent le nom d'un artiste ou d'un écrivain français, ai-je expliqué.

Mais il s'en moquait. Ses lèvres se sont retroussées avec mépris quand je lui ai précisé nos tarifs, au point que je me suis interrogée : pourquoi n'était-il pas descendu au Carlton, à Cannes, s'il jugeait mon établissement indigne de lui ?

Je me suis cependant bornée à lui demander son passeport – hollandais, au nom de Jeb Falcon – et sa carte de crédit, puis j'ai attrapé une clé accrochée au tableau derrière moi.

— Par ici, monsieur Falcon.

Daignant enfin enlever ses lunettes, il m'a de nouveau dévisagée d'un air froid, puis a tourné la tête vers son sac. J'ai serré les dents. Ce type m'était de plus en plus antipathique, et s'il comptait sur moi pour porter ses affaires, il n'allait pas tarder à déchanter.

Je l'ai senti me fusiller du regard lorsque je l'ai précédé dans l'escalier. Je me suis donc hâtée de lui montrer sa chambre avant de lui tendre sa clé et de l'informer que le dîner était servi sur la terrasse. Le panneau proclamant notre devise m'est alors revenu en mémoire : UN GRAND ACCUEIL DANS UN PETIT HÔTEL. Moi qui n'y avais encore jamais failli, je n'ai pu m'empêcher de regretter que ce M. Falcon n'ait pas choisi de loger ailleurs.

8

Jack

Le hors-bord s'avança contre le ponton. Une fois sa corde enroulée autour du tronc qui faisait office de bitte d'amarrage, Jack grimpa l'escalier aménagé sur les rochers et longea un chemin sinueux au bord duquel se dressait un petit pavillon rose. Il remarqua le style désuet de la galerie adossée à la façade, avant d'apercevoir par les fenêtres un salon en désordre aux canapés recouverts de tissu provençal et, à l'angle de la bâtisse, une chambre où trônait un immense lit drapé de lamé or.

— Quelle horreur, grommela-t-il.

Laissant derrière lui la maison et sa haie de lauriers-roses, il reprit sa marche jusqu'à l'hôtel. Là, il s'arrêta pour admirer la Harley rouge garée devant. Appartenait-elle à Mlle la Voyeuse ? Non, impossible, décida-t-il. Une personne choquée par la vue d'un homme nu ne pouvait conduire qu'une bonne vieille Renault.

Les portes grandes ouvertes invitaient à découvrir les lieux – ce qu'il fit aussitôt. Si le décorateur de cet hôtel s'avère être aussi celui du pavillon rose, pensa-t-il, je lui pardonne le dessus-de-lit en lamé. « Confortable » fut en effet le premier mot qui lui vint à l'esprit. De sa part, l'appréciation valait son pesant d'or. S'il se fichait de ce genre de chose sur mer, il en allait tout autrement sur la terre ferme. L'air embaumait la lavande, la cire d'abeille et autre chose... le jasmin, peut-être, il n'y connaissait rien dans ce domaine. À cela s'ajoutait une délicieuse odeur émanant de la cuisine.

Sans même sonner, il traversa le salon et sortit sur la terrasse où il se figea, les mains dans les poches.

On n'aurait pu donner meilleure illustration de ce qu'était une belle soirée d'été dans le sud de la France : un jardin dominant le golfe et ses lumières ; le parfum des fleurs ; le bourdonnement des conversations ; le rire d'une femme ; le tintement des glaçons dans les verres et le bruit d'une bouteille de vin que l'on débouche. Cela touchait à la perfection. Et « cela » était l'œuvre de Mlle Crinière Caramel. Curieux, Jack se demanda de quelle nationalité elle était, et si elle travaillait en tant que serveuse ou hôtesse d'accueil.

Elle l'aborda au même instant :

— *Bonsoir monsieur*, dit-elle en français.

Ses yeux noisette le fixaient avec une intensité qui ne le laissa pas indifférent. Elle avait relevé ses cheveux en queue-de-cheval, mais des boucles retombaient sur ses cils, encadrant son visage en forme de cœur, la faisant ressembler à un camée victorien. Jack devina à son accent qu'elle était américaine. Plus grande qu'il ne l'avait supposé, elle portait des espadrilles à semelles compensées dont les rubans mettaient en valeur ses fines chevilles, un pantacourt blanc ajusté et un T-shirt de l'hôtel. Aucun bijou, à l'exception d'une alliance. Ah ! elle était donc mariée.

Conscient qu'elle ne l'avait pas reconnu, il lui décocha le sourire de biais censé faire chavirer ses proies. Peine perdue, elle ne se départit pas de son attitude strictement professionnelle.

— Bonsoir, la salua-t-il à son tour.

— Une table pour deux ?

Elle semblait s'attendre à voir surgir son amie derrière lui et, à en juger par la manière dont elle l'avait examiné, espérait sûrement que celle-ci ne serait pas vêtue d'un short, d'un T-shirt et de chaussures avachies.

— Je suis seul, répondit-il, avant de se faufiler à sa suite entre les tables et de la remercier lorsqu'elle lui recula une chaise.

Amusé, il constata qu'elle le dévisageait avec attention à présent, les joues envahies d'une rougeur soudaine.

— Oh ! s'exclama-t-elle. Ô mon...

— On s'est déjà vus, fit-il. Je suis Jack Farrar, c'est moi qui ai jeté l'ancre en face de l'hôtel.

— Je sais, le coupa-t-elle, embarrassée. Comprenez bien que je n'avais pas l'intention de vous espionner, monsieur. Je voulais juste découvrir qui s'aventurait dans ma crique.

— Pardon ? *Votre* crique ? Je croyais que tout le monde pouvait naviguer dans ces eaux.

— Oui, bien sûr. Mais j'ai toujours considéré cette partie du golfe comme la mienne et je ne raffole pas des vacanciers bruyants qui organisent des fiestas sur leur bateau. Ils dérangent mes pensionnaires.

— D'accord, je vous promets de rester discret. Maintenant, acceptez-vous de me serrer la main pour clore l'incident, et de me dire qui vous êtes ?

Lola se ressaisit et acquiesça en lui offrant son plus beau sourire. C'était un client, après tout.

— Je m'appelle Lola Laforêt. Bienvenue dans mon hôtel. Désirez-vous un apéritif ? Un verre de vin peut-être ? Nous avons d'excellents crus locaux, et si vous préférez le rosé, je vous recommande la cuvée Paul-Signac.

Elle le regardait de haut, prête à noter sa commande. Il faisait le malin parce qu'il l'avait surprise en flagrant délit d'indiscrétion, mais n'avait-il pas agi de même avec ses jumelles ?

— Va pour la cuvée de l'artiste, répondit-il.

Le regard de Lola ne lui échappa guère. Elle s'était peut-être imaginé qu'un marin dépenaillé comme lui n'avait jamais entendu parler de ce peintre, habitué de Saint-Tropez à l'époque où le village n'était encore qu'un simple port de pêche.

— Bon choix, le félicita-t-elle.

— Vous ne m'en avez laissé aucun.

— Aucun quoi ?

— Aucun choix. Vous ne m'avez conseillé qu'un seul vin, alors je me suis incliné.

— Très bien, rétorqua-t-elle, la mine furibonde. Dans ce cas, je vais demander à Jean-Paul de vous apporter la carte. Il s'occupera de vous.

Sur ces mots, elle s'éloigna.

Tu as raté ton coup, mon vieux, se reprocha Jack. Ou bien était-ce l'ombrageuse Mlle Crinière Caramel qui avait tout gâché ? Il se remémora ses yeux et la manière dont ses longs cils balayaient ses joues, comme ceux de Bambi dans le dessin animé. Cela la rendait très séduisante, mais bon sang, elle avait un fichu caractère !

Un gamin maigrichon et pâlot qui arborait une demi-douzaine d'anneaux à une oreille s'approcha de lui avec le menu et une corbeille remplie de petits pains frais aux olives.

— Vous devez être Jean-Paul, fit Jack d'un ton amical.

— Oui, monsieur. Madame m'a dit de prendre votre commande.

— J'aimerais une bouteille de la cuvée Paul-Signac alors, déclara-t-il après s'être penché sur la carte rédigée à la main.

— Tout de suite, monsieur.

La lenteur de l'adolescent démentait cependant ses paroles, si bien que Jack s'arma de patience et, pour passer le temps, s'intéressa aux autres personnes présentes : il y avait là un couple haut en couleur, de jeunes tourtereaux, une fille accompagnée de deux sages bambins, une dame d'un certain âge – voire d'un âge certain – qui salua son arrivée d'un discret sourire et, pour finir, un homme seul à sa table.

Parce qu'il restait de la place sur la terrasse et que la petite salle de restaurant à l'arrière était vide, Jack craignit que la cuisine ne soit mauvaise. Puis il se rappela que la saison touristique touchait à sa fin. La rentrée avait déjà eu lieu, les employés avaient regagné leurs bureaux, les enfants leurs écoles, les étudiants leurs universités, et les touristes leurs pays d'origine. Peu de gens pouvaient se permettre comme lui de courir le monde à leur guise.

Jean-Paul réapparut avec un rosé qui se révéla exquis. Décidément, Mme Lola Laforêt avait aussi bon goût en matière de vin que de décoration, songea Jack en se rappelant la salle qu'il avait traversée avec satisfaction et en contemplant les meubles d'extérieur. Tout ici était agréable, harmonieux, enchanteur. Tout, sauf le type nerveux à côté de lui.

Pressé de partir, l'homme descendit son verre de bandol du domaine Tempier aussi vite que s'il s'était agi d'un Coca-Cola. Jack eut alors l'impression de l'avoir déjà croisé. Son visage dur et inexpressif n'était pas de ceux qu'on oublie, de même que la façon dont il se leva, poings serrés, muscles bandés, prêt à affronter quiconque aurait osé se mettre en travers de son chemin. Sa tenue attirait l'œil elle aussi : montre en or voyante, solitaire au petit doigt, mocassins hors de prix, vêtements sport de créateur. À coup sûr, il fréquentait le gratin local, alors que fabriquait-il là ?

Jack n'arrivait pas à le resituer. L'avait-il vu aux Caves du Roy, le soir où il y était allé avec Sugar ? (À vrai dire, il s'était contenté d'escorter la jeune femme, qu'il avait abandonnée à ses amis au bout d'une demi-heure, une fois atteintes les limites de sa résistance aux décibels.) Ou bien était-ce sur la terrasse du Carlton, à Cannes, quand il avait discuté affaires avec un passionné de navigation pour qui il construisait un bateau ? Bah, quelle importance ? pensa-t-il. Si ça se trouve, je l'ai juste aperçu au café Sénéquier, à Saint-Tropez.

Jack le jaugea une nouvelle fois du regard lorsqu'il passa devant sa table. Non, vraiment, le personnage ne lui inspirait aucune sympathie. Une minute plus tard, le moteur de la Harley gronda et des pneus crissèrent sur le gravier. Il aurait dû se douter que cet homme en était le propriétaire.

Il reporta son attention sur le menu et commanda une salade de homard au gingembre ainsi qu'un carré d'agneau accompagné d'un tian d'aubergines. Puis, adossé à sa chaise, il savoura le plaisir de boire du bon vin devant un paysage magnifique, tout en caressant l'espoir de revoir Mme Laforêt, sa belle hôtesse aux yeux de Bambi.

9

Lola

Pourquoi ne l'avais-je pas reconnu tout de suite ? Certes, il était très différent, habillé. Cela dit, j'avais tout de même eu l'occasion de le regarder plus en détail que la majorité des gens ! Étais-je donc condamnée à me comporter toujours en vierge effarouchée, bien que j'aie atteint l'âge mûr ? Et que je sois mariée, qui plus est, me suis-je souvenue avec morosité en secouant une poêle en fonte au-dessus du feu. J'y avais mis à dorer un carré d'agneau avant de le passer au four juste le temps nécessaire pour qu'il soit à point.

Cette tâche accomplie, j'ai fait porter des brownies et des cookies aux amandes à mes deux tourtereaux en plus de leurs cafés, je me suis assurée que Marit maîtrisait la préparation des tians, puis que Red Shoup avait son saint-pierre arrosé de sauce au vin rouge et son mari sa bourride. J'avais surnommé cette soupe de poissons servie avec des croûtons et de la rouille « la Merveille des mers »

– titre auquel mon marin n'était pas près de prétendre, lui.

Retranchée devant mes fourneaux, je me suis affairée tant et plus, peu désireuse d'affronter de nouveau Jack Farrar. Puis j'ai entendu un caquètement : Scramble venait de franchir le rideau de perles.

— Dehors ! ai-je crié en agitant les bras.

Elle n'était pas autorisée à se promener dans la cuisine, ni dans aucune autre partie de l'hôtel – seuls la terrasse, le jardin et ma petite maison lui étaient ouverts. Après avoir couru cinq minutes en tous sens pour m'échapper, elle s'est réfugiée sous la table et a entrepris de picorer minutieusement tout ce qui lui semblait appétissant – c'est-à-dire presque tout ce qui était tombé –, jusqu'à ce que je réussisse à l'attraper pour la rapporter à l'extérieur.

Plantée dans un coin, j'ai observé mes clients. Leurs mines satisfaites me ravissaient toujours, comme si mon bonheur dépendait du leur. Mlle Nightingale lisait un livre ; les jeunes mariés grignotaient mes brownies en échangeant des baisers ; Budgie et les garçons étaient déjà partis, de même que M. Falcon. Les Shoup, eux, se tenaient la main par-dessus la table sans paraître gênés de n'en avoir plus qu'une de libre pour manger. Tel est l'effet magique de ma terrasse. Quant à Jack Farrar, il avait terminé sa salade de homard et sirotait un verre de vin face à la mer, où brillaient dans l'obscurité les lumières rouges et vertes de son sloop.

Il a dû sentir que je le fixais parce qu'il s'est soudain tourné vers moi. Rouge de confusion – il allait finir par vraiment penser que j'étais une voyeuse –, j'ai fait semblant d'avoir cherché à attirer son attention et je me suis dirigée vers lui avec un grand sourire.

— Tout va bien, monsieur Farrar ?

Il a croisé les bras.

— Très bien, même. Mais je pense qu'on se connaît assez maintenant pour que vous m'appeliez Jack.

— Ma foi... Jack, votre carré d'agneau sera bientôt prêt.

— Pas de problème, je me plais ici. Cet endroit possède un charme unique, madame Laforêt.

— Lola.

— Lola, oui.

— Merci du compliment. L'hôtel *est* unique, en effet, et ça me fait plaisir que vous l'appréciiez.

— J'ai beaucoup aimé la salade de homard et la cuvée que vous m'avez conseillée était un vrai régal.

— Tant mieux. Je vais voir où en est votre commande. Excusez-moi, Jack.

— Une dernière chose... (Ses yeux bleus se sont éclairés d'une lueur malicieuse.) Vous vous déplacez toujours avec une poule dans les bras ?

J'avais complètement oublié Scramble, qui, non contente de darder sur lui un regard menaçant, commençait aussi à s'agiter.

— Non, ai-je répondu d'un ton aussi hautain que me le permettaient ses battements d'ailes.

Et je me suis hâtée vers la cuisine afin de sortir du four le carré d'agneau. Au contact du plat brûlant, j'ai laissé échapper un juron que Mlle Nightingale aurait été scandalisée d'entendre dans ma bouche, puis j'ai disposé la viande sur une assiette, y ai ajouté des petites pommes de terre, du persil, une sauce aux herbes qui m'a fait saliver, et enfin une capucine orange. Le tout a rejoint le tian d'aubergines sur un plateau que Jean-Paul a ensuite été chargé de porter à notre client.

— Bon appétit, Jack Farrar, ai-je murmuré.

10

Il était tard lorsque j'ai émergé de la cuisine, même si j'avoue avoir volontairement traîné afin de ne pas être obligée de réengager la conversation avec M. Farrar – ou plutôt Jack. Lui était parti après avoir réglé son repas en liquide, et seul m'attendait un mot griffonné au dos de l'addition :

Chère Madame le Chef,
Votre homard était exquis,
Votre agneau savoureux,
Votre clafoutis succulent,
Et la cuvée du peintre délicieuse.
Mais vos brownies m'ont donné le mal du pays,
Alors j'ai pris la liberté d'en subtiliser quelques-uns.
Avec mes compliments,

JF

J'ai éclaté de rire. Peut-être gagnait-il à être connu, après tout.

Chacun était monté se coucher, à l'exception de Mlle Nightingale, aussi ai-je ôté mon tablier et porté deux cognacs sur la terrasse, où je me suis affaissée sur une chaise en face d'elle.

— Oh, merci, ma chère ! s'est-elle exclamée en reposant son livre, aussi ravie d'avoir un peu de compagnie que de se voir offrir un verre. C'est très gentil à vous ! Santé !

Nous avons trinqué et bu en silence, tout au plaisir de savourer le calme qui régnait à présent.

— Alors, vous avez sympathisé avec notre nouveau pensionnaire, M. Falcon ? ai-je lancé au bout d'un moment.

— Si peu ! a-t-elle ironisé. Il est assez désagréable.

— Pas très civilisé, plutôt.

Elle m'a sondée du regard.

— Soyez prudente. Il est dangereux.

— Que savez-vous des hommes dangereux, mademoiselle N ? me suis-je étonnée.

Elle ne se formalisait pas de ce raccourci, bien pratique lors de nos longues conversations.

— Beaucoup de choses, ma chère. J'en ai eu un pour mari.

Sans s'épancher davantage, elle a détourné la tête et contemplé la baie. Je suis restée perplexe : j'avais beau ignorer presque tout de sa vie privée, je l'imaginais mal avec un conjoint, qui plus est dangereux. Rien n'aurait pu me surprendre davantage.

— Je n'étais pas au courant, ai-je fait, dévorée de curiosité.

— Peu de personnes le sont. J'ai épousé un inspecteur de Scotland Yard – assez célèbre d'ailleurs –, mais j'ai gardé mon nom de jeune fille parce que c'était ainsi qu'on m'appelait dans mon école. Peut-être avais-je une longueur d'avance sur les féministes actuelles... En tout cas, j'ai travaillé dur, et sans l'aide d'un homme, pour gagner ma vie, si bien que j'ai estimé que cela me donnait le droit d'exister par moi-même. J'étais Mlle Mollie Nightingale, directrice de l'école pour filles Reine-Wilhelmine, avant de l'épouser et j'ai tenu à le rester.

— Eh bien ! ai-je commenté avec un large sourire qui l'a amusée. (Prise d'une impulsion, je lui ai saisi la main.) Je suis heureuse que vous soyez là, mademoiselle N.

— Merci, ma chère. C'est toujours agréable d'avoir une amie.

J'ai hoché la tête, rassérénée.

— Avez-vous remarqué l'autre inconnu qui a dîné ici ce soir ? ai-je alors demandé d'un ton désinvolte – trop, selon toute apparence, parce qu'elle a haussé les sourcils.

— Le beau monsieur ? Difficile de ne pas le voir.

— Il n'est pas si beau que ça.

— Peut-être pas, non, a-t-elle acquiescé après réflexion, mais il est très bien fichu, comme auraient dit mes élèves. En fait, les femmes de ma génération considéreraient qu'il a du sex-appeal, ce qui n'est pas un défaut.

J'étais stupéfaite d'entendre Mlle N me parler de maris, d'inspecteurs de Scotland Yard et d'hommes bien fichus avec du sex-appeal, mais force m'était de reconnaître qu'elle n'avait pas tort au sujet de Jack Farrar.

— Reste qu'il n'est pas pour moi, ai-je déclaré. Rappelez-vous que je ne suis pas libre, même si Patrick m'a abandonnée.

— Ne vous privez pas d'une idylle à cause de lui, m'a-t-elle conseillé. Il faut aller de l'avant, Lola.

— C'est dur, ai-je soupiré. Je ne sais parfois plus qui je suis ni où en est ma vie.

— Qui pensez-vous être au juste, ma chère ?

Je l'ai dévisagée, intriguée.

— Que voulez-vous dire ?

— Comment vous définiriez-vous ? *Qui est Lola March-Laforêt ?*

J'ai hésité et médité ses paroles.

— Eh bien... je suis une femme qui va sur ses quarante ans. Un chef cuisinier. Une maman gâteau pour mes pensionnaires. J'essaie d'exaucer tous leurs souhaits et d'insuffler un peu de magie dans leurs vacances ici, à l'hôtel Riviera. Voilà, je crois avoir fait le tour.

— Réfléchissez, maintenant. Vous êtes tout cela à la fois. Oui, vous insufflez de la magie autour de vous, et si nous adorons cet endroit, c'est grâce à vous. N'oubliez jamais que vous êtes quelqu'un de formidable, Lola. Vous avez un tel effet sur notre existence que chacun de nous se sent mieux de vous avoir rencontrée. Ce n'est pas rien.

Mlle N a ensuite vidé son verre, ramassé son livre et m'a souhaité bonne nuit après avoir contemplé une dernière fois la crique obscure, au milieu de laquelle mouillait le sloop de Jack.

11

Vous savez, ce n'est pas facile de vivre le cœur brisé, même si le mien l'a été il y a longtemps, bien avant que Patrick me quitte. La fin de ma belle histoire d'amour me rend parfois si triste que je m'enferme des jours durant dans ma cuisine pour tester de nouvelles recettes – d'où mes quelques kilos superflus.

Parfois aussi, je cède à la colère et à la rancœur au point de rudoyer mon entourage. C'est injuste, bien sûr, et je le regrette toujours après coup, mais je ne peux pas m'en empêcher. Et puis, il y a les longues, longues nuits de solitude que je passe à pleurer sur mon oreiller, Scramble serrée contre moi, en me demandant où il est.

Tout avait pourtant commencé comme dans un rêve, avec une rencontre placée sous le signe du romantisme, devant une coupe de champagne et du caviar que nous avions dégustés sans nous quitter des yeux...

J'étais alors employée par l'un des plus grands hôtels de Las Vegas qui m'avait chargée de concocter ses desserts. En plus d'une cuisine fabuleuse, je disposais là d'une totale liberté de création. J'adorais mon travail et me sentais comblée, même si je n'avais guère de temps pour moi. De toute façon, mes déboires avec les hommes m'avaient incitée à mettre ma vie sentimentale entre parenthèses.

Je fêtais ce jour-là mon trente-troisième anniversaire et m'étais préparé pour l'occasion un gâteau au chocolat fourré d'une ganache agrémentée de pralines. Sitôt les derniers clients partis, je l'ai savouré en compagnie de mes collègues, avant de me débarrasser de mon pantalon informe de chef cuisinier au profit d'un jean noir moulant et – comble de l'audace pour moi – d'une chemise noire en mousseline de soie très sexy qui me dénudait une épaule. Je l'avais achetée sur un coup de tête dans l'une des boutiques les plus chic de Las Vegas. Son prix exorbitant m'avait sidérée, mais je m'étais répété qu'il s'agissait de mon anniversaire et que, après tout, on ne m'avait jamais offert de tels cadeaux.

Devant mon miroir, j'ai ajusté le décolleté avec angoisse, consciente de la folie que j'avais faite en me ruinant pour cette tenue alors que je n'avais personne à qui plaire. Tant pis, ai-je pensé. Aujourd'hui, c'est ma fête et je compte bien sortir. Une fois maquillée et coiffée, j'ai donc glissé mes pieds endoloris dans des talons aiguilles et pris la direction du casino Bellagio.

Là, je me suis attardée près des tables où des flambeurs disputaient des parties de black jack et de *pai gow* sous une douce lumière tamisée, à l'abri du monde réel. Leur silence tendu m'a impressionnée, tout comme l'impassibilité des croupiers. Ces gens misaient-ils leur avenir et leur fortune ? Était-ce leur dernière chance ? Pauvres idiots, ai-je médité, sans me douter que mon sort à moi aussi n'allait pas tarder à se jouer.

La fatigue m'a peu à peu envahie. Cela faisait des heures que j'étais debout et mes chaussures me meurtrissaient les pieds. Trop tard j'ai compris que j'avais commis une erreur en venant ici seule et sans but précis. Je n'aspirais plus qu'à rentrer chez moi me mettre au lit avec un bon livre. *Tout de suite !* C'est alors que je l'ai heurté de plein fouet.

— Pardon, mademoiselle, pardon... Je suis désolé...

Puis ses bras m'ont enveloppée afin de m'aider à recouvrer mon équilibre.

Indubitablement, aucun homme aussi beau ne m'avait serrée contre lui. Il condensait en lui tous les clichés possibles et imaginables : grand, brun, séduisant. Et français, en plus de ça. Que pouvais-je espérer ?

— Ça va ? s'est-il inquiété avec un accent ô combien charmant. Vous semblez secouée. (Devant mon silence ahuri, il s'est agenouillé pour ramasser l'escarpin que j'avais perdu.) C'est vous Cendrillon ? a-t-il plaisanté.

Et, attrapant ma cheville, il m'a remis ma chaussure. J'ai eu le souffle coupé tant son geste avait été sensuel.

— Oh ! Oh ! merci, ai-je balbutié, furieuse de la banalité consternante de ma réponse. Je suis désolée.

— Non, c'est à moi de m'excuser. Je ne regardais pas où j'allais. Puis-je vous offrir un verre ? J'aimerais juste m'assurer que vous n'avez pas de mal.

J'ai hésité pour je ne sais quelle raison – peut-être une prémonition du désastre à venir –, avant d'accepter et de le suivre jusqu'au bar.

— Champagne ?

— Pourquoi pas ? ai-je souri. C'est mon anniversaire.

Il a haussé un sourcil, si bien que je me suis sentie ridicule et naïve. Je n'aurais pas dû lui avouer ça.

— Dans ce cas, a-t-il décrété, le caviar s'impose aussi.

Juchée sur le bord de ma chaise, je me suis efforcée d'adopter une attitude décontractée pendant qu'il discutait avec le serveur. Il m'apparaissait encore plus séduisant qu'au premier coup d'œil, avec son costume sombre, sa chemise d'un beau bleu marine et sa cravate en soie. Quelques poils parsemaient le dos de sa main bronzée, tandis qu'une barbe naissante très à la mode assombrissait ses joues. À cette vue, j'ai éprouvé une sensation familière dans le bas-ventre.

— Bonsoir, au fait ! m'a-t-il lancé, son attention de nouveau rivée sur moi. Je m'appelle Patrick Laforêt et je viens de France.

— Et moi, je suis Lola March, de Los Angeles. Enfin, d'Encino, dans la vallée de San Fernando, pour être plus précise.

— Enchanté de faire votre connaissance, Lola March.

Très contents de nous, nous avons trinqué à mon anniversaire avec du dom-pérignon. Patrick s'est ensuite penché vers moi et a plongé son regard dans le mien.

— Qui êtes-vous *vraiment*, Lola March ? Parlez-moi de vous.

Ma foi, ce n'est pas souvent qu'une femme se voit offrir une occasion de ce genre, alors je ne l'ai pas laissée passer. Je lui ai expliqué comment j'avais abandonné mes études à la fac (ce qui n'avait pas été ma meilleure décision mais, comme vous le constaterez, j'en prends souvent de semblables) afin d'intégrer une école de cuisine où j'étais persuadée de mieux réussir. Je lui ai aussi avoué que j'avais débuté au bas de l'échelle dans de grands restaurants et progressé ensuite au point que mes desserts étaient à présent considérés par les spécialistes comme des œuvres d'art.

— Ce qui ne m'empêche pas de continuer à faire des brownies – les meilleurs de Las Vegas, ai-je précisé afin qu'il n'ait pas de moi l'image d'une frimeuse sans humour.

Il a ri et affirmé qu'il adorait les brownies.

— Pas autant que moi j'aime le caviar, ai-je répliqué avec gourmandise tout en tartinant un toast de beluga.

Puis ç'a été son tour. Accoudé sur ses genoux, les mains jointes, il m'a confié qu'il appartenait à une longue lignée de marins-pêcheurs marseillais – tous décédés maintenant, dont il était le dernier descendant. Son père lui avait légué un bout de terrain et un hôtel à la sortie de Saint-Tropez auxquels il était très attaché. Non seulement il n'envisageait pas de les vendre un jour, mais il y passait même tous ses étés, avant de repartir sillonner le monde.

Je me suis rendu compte plus tard qu'il ne m'avait jamais éclairée sur les ressources qui lui permettaient de mener grand train, mais cela n'avait pas d'importance alors, et j'ai juste supposé qu'il avait aussi hérité d'une jolie somme.

Il m'a raconté la Côte d'Azur, les différents bleus de la mer, le parfum du jasmin et les longues soirées d'été langoureuses, quand la lune inonde la Méditerranée d'une lumière argentée. Il m'a raconté la petite vigne qu'il possédait sur une colline et le plaisir que lui procuraient les lourdes grappes près d'être cueillies au début de l'automne. Il m'a raconté les après-midi brûlants « pendant lesquels il vaut mieux rester couché entre des draps frais, volets fermés, et de préférence avec quelqu'un ». Et je l'ai écouté en silence, ébahie comme une enfant à qui on aurait raconté un conte de fées.

Il savait faire rêver, Patrick, et ce soir-là il m'a offert une vision merveilleuse de la Côte d'Azur : un hôtel, du soleil, des fleurs, du vin frais et un homme chaleureux et passionné.

J'étais mordue, il n'y avait aucun doute possible. Jetant aux orties ma prudence habituelle, j'ai fini au lit avec lui dès cette nuit-là. Nous étions fous l'un de l'autre et un mois plus tard, sous le coup d'une impulsion encore plus folle, nous nous sommes mariés. Je me souviens de mon embarras lorsque j'ai entendu mon nouveau nom pour la première fois, et aussi du regret que j'ai éprouvé de ne pas m'appeler simplement Jane, tant il me semblait que Jane Laforêt aurait fait moins strip-teaseuse.

C'est un vieux juge qui nous a unis. Il faisait très chaud ce jour-là et Patrick avait revêtu un costume en lin couleur crème, bien plus convenable pour la circonstance que ma robe de soie beige bon marché que j'avais sortie du fond de mon placard – ce mariage impromptu ne m'avait pas permis de faire les magasins. Mes chaussures me sciaient les pieds, évidemment, et les quelques roses fuchsia que j'avais achetées à la hâte dans une station-service s'étiolaient déjà.

Malgré tout j'ai conservé cette robe, aujourd'hui soigneusement emballée, ainsi que mon triste bouquet, ainsi qu'un album de photos dans lequel figure l'unique cliché pris par notre témoin, le secrétaire du juge. Patrick y a l'air solennel, alors que je parais vaguement alarmée, comme si je pressentais ce qui m'attendait.

J'ai conscience aujourd'hui que ce n'était pas seulement Patrick que j'avais désiré. J'avais voulu le charme de la Côte d'Azur, ses vins, sa cuisine, et puis l'amour sous les étoiles, sans voir que celles-ci brillaient dans ma tête, et non dans le ciel.

Vous aurez ainsi compris que, en matière d'amour et de relations avec les hommes, je ne suis ni plus ni moins fragile que n'importe quelle femme.

12

Parce qu'il faisait encore trop chaud pour rentrer me coucher, j'ai décidé de me promener dans le jardin. Le parfum du jasmin qui flottait dans l'air m'a rappelé les premiers jours ayant suivi l'ouverture de l'hôtel, quand nous n'avions encore aucun client et que nos espoirs et notre ténacité constituaient notre seule fortune.

Au bout du chemin d'accès, un panneau bleu accroché à un pin annonce la propriété en lettres jaune vif. Sur un deuxième, plus grand, figurent les mots BIENVENUE/WELCOME, tandis qu'un troisième précise, en français dans le texte : UN GRAND ACCUEIL DANS UN PETIT HÔTEL.

Deux rangées de pins parasols bordent l'allée, au-dessus de laquelle leurs branches forment une voûte bienvenue quand le soleil donne. Avancez encore, et un peu plus loin, après le tournant, vous découvrirez un bâtiment carré aux solides murs rose pâle, doté de deux séries de portes-fenêtres identiques, une à l'étage et l'autre au rez-de-chaussée. Les vieux volets verts, auxquels le temps a conféré une patine grise, pendent sans cesse de guingois malgré mes efforts pour les redresser.

Malgré l'époque de l'année, des bougainvillées roses et mauves tombent encore en cascade sur les treillages, tandis que dans la pénombre luisent les pétales aux pointes blanches du jasmin. La porte est ouverte, comme toujours, jusqu'à minuit – après quoi les clients doivent se servir de leurs clés –, et l'on distingue au-dessus *Villa Riviera*, gravé dans le linteau de granite rose, suivi de l'année de construction, 1920.

Entrez et respirez cette légère odeur de cire d'abeille et de lavande. Meubles, lampes, tapis : le moindre objet ici a une histoire. Je me souviens de l'endroit où j'ai acheté chacun d'eux, de la somme d'argent que j'ai dû emprunter pour l'acquérir et de la personne qui m'accompagnait. Tous mes bons souvenirs sont rassemblés dans cet espace.

J'ai effleuré la table ronde en bois de rose qui fait office de bureau d'accueil et dont Nadine a camouflé les éraflures sous plusieurs couches de cire avant de l'astiquer jusqu'à la faire briller. Posée dessus, une ancienne cloche récupérée dans une école permet aux clients de m'appeler lorsque je suis en cuisine. Vous remarquerez aussi le canapé de chintz vert et blanc qui voisine avec une bergère en cuir rouge, ainsi que le cabinet bombé, sur lequel trône un vase en céramique bleu rempli à la va-vite de lys et de marguerites.

Passez maintenant l'arcade séparant le vestibule du salon. Cette vaste pièce, qui donne sur la terrasse et le jardin, abrite une énorme cheminée que l'on pourrait prendre pour une autre de mes trouvailles hétéroclites alors qu'elle est d'origine. Le mobilier ici se compose de deux canapés aux dossiers assez hauts « rescapés » d'un château en ruine, tout comme les tapis, très beaux quoiqu'un peu élimés et décolorés.

Vient ensuite la petite salle à manger où l'on ne dîne qu'en cas de mauvais temps, quand, chargé de sable et de feuilles, le mistral saccage le jasmin, dépouille la tonnelle et met tout le monde sur les nerfs. L'endroit est confortable, encore qu'avec les lampes allumées et le hurlement du vent on se croirait plongé dans une tempête en pleine mer.

Le soir, quand vous monterez l'escalier, au terme d'un long repas bien arrosé, vous découvrirez un couloir desservant six chambres de mêmes dimensions et deux autres, plus grandes, situées à chaque extrémité. Plutôt qu'un numéro, j'ai préféré attribuer à chacune le nom d'un artiste ou d'un écrivain français : Piaf, Colette, Proust, Dumas, Zola, Mistral. J'ai également baptisé l'une d'elles Brigitte Bardot et la dernière – celle de Mlle Nightingale – Marie-Antoinette, parce que j'ai toujours eu le sentiment que cette femme avait été incomprise et qu'on lui avait à tort mis sur le dos tous les problèmes de la famille royale.

La plupart des chambres offrent une vue imprenable sur la Méditerranée et disposent de balcons d'où l'on domine la terrasse et les figuiers de la tonnelle. Si le cœur vous en dit, il vous suffit de vous pencher pour cueillir des fruits si gorgés de soleil que leur jus vous coule sur le menton quand vous mordez dedans.

Les lits de certaines pièces, tout de bronze doré et de soie damassée, évoquent davantage le bordel de campagne qu'une villa de bord de mer, mais l'ensemble n'est pas pour autant dépourvu de charme. Quant aux autres, en fer forgé, peints en blanc et drapés de gaze, ils permettent à leur occupant, bercé par le doux murmure des vagues au loin, de se croire sous les tropiques.

Le reste de la décoration se caractérise par sa simplicité : une table sous la fenêtre, un abat-jour ambré, un fauteuil, un tapis, des draps à l'odeur et à la fraîcheur de linge mis à sécher au grand air, et des bouquets de fleurs posés sur les tables de nuit. Dans les salles de bains, un savon à base d'huile d'olive et parfumé à la verveine apporte une touche finale.

À l'occasion, un rossignol nous rend visite, quand ce n'est pas un merle. J'aime à croire que son chant rapproche les couples au moment où ils s'abandonnent au sommeil, car il n'existe rien de plus romantique que le pépiement d'un oiseau que l'on écoute dans son lit, les fenêtres ouvertes pour laisser entrer la brise marine. Parfois même, je m'imagine un amoureux ravi chuchotant à sa compagne « Tu entends ça ? » tout en lui faisant l'amour.

Je reviens à la terrasse maintenant. Dalles de terre cuite patinées, balustrades en fer forgé vert-de-gris croulant sous les fleurs, lampes anciennes sous une épaisse voûte de figuiers : tel est le point de rencontre, le cœur de l'hôtel Riviera.

L'adjectif « enchanteur » s'impose à moi lorsque je contemple le paysage en contrebas : au bout d'un chemin envahi par un enchevêtrement de plantes, une volée de marches en bois aménagées sur un amas de gros rochers descend jusqu'à la crique. Juste un peu avant se dresse ma maison, réplique miniature de l'hôtel : un seul niveau, des murs roses, de hauts volets argentés et une petite galerie ouverte. La mer s'arrête presque au-dessous de ma porte, si bien que les vagues enchantent mes nuits par leur doux chuchotis.

J'ai piqué un brin de jasmin dans mes cheveux puis j'ai longé le sentier afin de retrouver mon chez-moi, Scramble et mes rêves solitaires. Comment s'étonner que j'adore cet endroit ?

13

Il commençait à faire lourd, comme avant un orage. J'ai foncé sous la douche me rafraîchir. Cinq minutes plus tard, j'étais au lit.

Je suis restée allongée dans l'obscurité, aussi immobile qu'un soldat au garde-à-vous, les yeux fixés sur le contour flou des poutres bleues du plafond. Scramble caquetait doucement sur mon oreiller et effleurait de temps à autre mes cheveux de son bec. J'étais contente qu'elle soit là.

Impossible de dormir. Je me sentais trop inquiète, trop agitée, trop *seule*. Je suis donc allée m'asseoir près de la fenêtre ouverte en m'appuyant sur le rebord en bois encore chaud du soleil de l'après-midi. La tête sur les bras, j'ai écouté le roulement lointain du tonnerre auquel se mêlait le clapotis des vagues, en songeant à la chance que j'avais d'habiter un tel lieu. Ça, me suis-je souvenue, c'était à Patrick que je le devais.

On peut me qualifier de casanière. Cela s'explique en partie parce que je n'ai jamais eu de foyer stable durant mon enfance. Les revenus en dents de scie de mon père nous obligeaient sans cesse à déménager, si bien que je pouvais être un mois cow-girl dans un ranch, et le suivant écolière à la recherche de nouveaux amis dans une grande ville. Nous avons vécu dans tant d'appartements que j'en ai perdu le compte. Conséquence logique, j'ai toujours eu envie d'avoir une maison à moi.

Ma mère avait un jour plié bagage sans prévenir, laissant derrière elle sa fille de six ans – moi – et son mari, qu'elle surnommait avec mépris « le Tombeur ». Certes, elle avait raison, mais j'adorais mon père. Je m'accrochais à lui et buvais la moindre de ses paroles, toujours fière de ce séduisant papa dont je dois au moins reconnaître qu'il n'a jamais manqué une réunion de professeurs, *lui*. Il y charmait toutes les femmes avec son sourire faussement timide et son regard qui sondait le leur. En quête de quoi ? me demandais-je. Il m'a fallu longtemps avant de deviner que la question qu'il exprimait ainsi était simplement : « Est-ce qu'elle dira oui ? »

Après le départ de ma mère, ce n'est pas lui qui a pris soin de moi, mais l'inverse : je veillais à ce qu'il soit à l'heure à ses rendez-vous, m'assurais qu'il avait réservé une baby-sitter, qu'il y avait du lait dans le frigo pour le petit déjeuner. « Tourne à gauche », lui rappelais-je du haut de mes six ans depuis la banquette arrière de la voiture, parce que, déjà à cet âge, il m'apparaissait évident qu'il n'avait aucun sens de l'orientation. Parfois aussi je lui lançais : « J'ai cours à huit heures demain », ou bien : « Qu'est-ce qu'on mange ce soir, papa ? » Je savais que sinon, il oublierait et que nous devrions encore nous contenter d'une pizza à emporter. Même un enfant peut se lasser des pizzas.

Malgré tout, je lui vouais un amour sans bornes et jugeais tous les hommes à son aune. J'ai compris trop tard que j'aurais pu trouver meilleure référence.

Patrick a surgi dans ma vie à une époque où j'étais vulnérable. À vrai dire, c'est chez moi un état chronique qu'un psy attribuerait à coup sûr à mon enfance – simple question de bon sens, encore que celui-ci ne m'ait jamais empêchée de manquer de discernement dans mes choix amoureux. Je sortais d'une relation éprouvante de deux ans avec un acteur quand j'en suis arrivée à cette conclusion. Mon ami, qui courait le cachet au début de notre histoire, a peu à peu gravi les échelons de la célébrité : il a commencé par un petit rôle dans un petit film, avant d'enchaîner avec un autre, plus important. Très vite, il a accompagné de jeunes starlettes à des premières et à des soirées, avant de faire la une des magazines people. Même aveuglée par l'amour, j'ai senti que cela ne nous mènerait nulle part et j'ai rompu.

Non sans un pincement au cœur, j'ai alors décidé que le grand amour n'existait pas. Ce n'était qu'un mythe inventé pour les besoins de la littérature, du cinéma, et véhiculé par les poètes et les compositeurs de chansons populaires. *Le grand amour n'existait pas*. Il avait disparu de ma vie à jamais. Et puis ma route a croisé celle de Patrick et j'ai replongé tête baissée. C'était reparti pour un tour.

14

La première année de mon mariage a été un rêve éveillé ; Patrick me comblait de bonheur à chaque instant.

Je voudrais pouvoir expliquer pourquoi un homme cesse d'aimer une femme. Avec Patrick tout s'est passé aussi soudainement que cela : un jour nous marchions main dans la main dans les rues pentues d'Èze, un village au-dessus de Saint-Jean-Cap-Ferrat où nous avions décidé de nous accorder quelques heures de repos pendant les travaux de rénovation de notre hôtel, et le suivant il filait seul à Saint-Tropez en me lançant un désinvolte « À plus tard, chérie ! » et disparaissait.

Pendant un an, nous avions fait l'amour matin, midi et soir, et aussi souvent que possible entre-temps, quand les ouvriers n'étaient pas là et que nous arrivions à avoir un peu d'intimité dans notre maison encore inachevée. Mais nos rapports se sont ensuite espacés, comme si Patrick avait éteint les lumières à l'improviste, me plongeant seule dans une pénombre incompréhensible.

Ma première pensée a bien sûr été qu'il avait une maîtresse. Après tout, il ne pouvait croiser une femme sans la dévisager, et rares étaient celles qui ne succombaient pas à son charme. N'oublions pas non plus que je n'étais qu'une cuisinière rousse mal dégrossie quand il m'avait rencontrée, alors que lui était français, beau, riche (du moins le croyais-je alors) et habitué à évoluer en société. Il ne se passait pas un jour sans que je me demande pourquoi il m'avait épousée, moi.

Enfin, il ne faut pas noircir le tableau. Il y avait aussi des périodes où les choses s'arrangeaient, où je retrouvais le Patrick des débuts, celui qui flirtait, riait, profitait de la vie et m'en faisait profiter. Nous allions à des ventes aux enchères à Orange, parfois même en Bourgogne, où nous avons une fois séjourné dans un luxueux relais château. L'ambiance y différait tant du chaos quotidien de l'hôtel Riviera que je m'étais crue dans un autre monde – un monde dans lequel, à ma grande surprise, je me sentais différente, libérée de mes tracas, et où je savourais pleinement l'instant présent.

Je participais aussi à des ventes locales au cours desquelles je surenchérissais de manière insensée pour des objets qui semblaient n'intéresser personne : des tapis d'Orient élimés, une table de toilette en marbre des années trente, des abat-jour aux franges perlées, et ce tissu lamé or que l'on eût dit sorti d'un film de Fred Astaire, qui à ce jour encore recouvre notre – ou plutôt *mon* – lit.

Il nous arrivait aussi, durant ces rares journées que nous passions ensemble, de nous promener en voiture. Une fois, nous dénichâmes une ferme-auberge pittoresque dans les collines de Sisteron, où nous dormîmes au chaud dans une chambre minuscule, bercés par les bêlements des moutons sous notre fenêtre et le tambourinement de la pluie sur les tuiles du toit. Une autre, nous nous arrêtâmes dans un hôtel-restaurant qui ne payait pas de mine mais dans lequel nous festoyâmes avant de nous envoyer en l'air avec autant d'insouciance que si ce tourbillon de plaisirs avait dû être éternel.

Patrick m'a-t-il jamais aimée, y compris pendant ces instants où il me faisait l'amour ? Le doute ne me quittera plus désormais, même si je veux croire que oui, il m'a aimée à sa manière, et qu'au bout du compte celle-ci s'est révélée insuffisante pour l'attacher – à l'image de mes sentiments pour lui, d'ailleurs. Malgré tout, aujourd'hui, je souhaite découvrir où il habite, ce qu'il est devenu, avec qui il vit – probablement une femme plus jeune et plus belle à mon avis, et aussi assez riche pour exaucer ses rêves matérialistes. Ainsi que je l'ai dit plus tôt, cela ne fait pas de lui un mauvais garçon – juste un mauvais mari.

Voilà, j'ai mis mon cœur à nu devant vous – du moins ce qu'il en reste. Depuis six mois, je vis seule, dirige mon hôtel, m'occupe de mes clients, leur mitonne chaque soir de bons petits plats : bref, je m'occupe, afin de ne pas avoir le temps de songer à Patrick.

Je redoute pourtant l'hiver, quand tout le monde sera parti et que, livrée à moi-même, j'écouterai le mistral souffler sur ma maison, hurler dans les pins et renverser mes cache-pot dans un fracas qui rendra le silence plus pesant encore à l'intérieur. La saison du rosé sera passée alors. J'allumerai un feu dans la cheminée en priant pour que le vent ne rabatte pas la fumée dans la pièce, me préparerai une camomille dont les vertus apaisantes seront censées me calmer les nerfs, et peut-être aussi des œufs à la coque et des mouillettes qui me rappelleront mon enfance – mon père m'en faisait quand j'étais malade. Plus tard, Scramble se nichera contre moi sur mon oreiller, et nous franchirons ensemble une nouvelle nuit interminable.

Ai-je omis de préciser que cette perspective ne me réjouit guère ? Que j'en veux à Patrick ? Que je ne sais plus que faire, ni où le chercher, ni à qui demander de l'aide ? Mais soyons franche : cette situation présente trois points positifs. Première-ment, je persiste à croire que mon mari m'a aimée, autrefois. Deuxièmement, je ne suis plus amou-reuse de lui. Troisièmement, je ne suis pas séparée de mon seul véritable grand amour, l'hôtel Riviera.

15

Le moteur d'une voiture qui s'arrêtait sur le parking a soudain rompu le silence. Surprise, j'ai jeté un œil à ma montre. Presque deux heures du matin. Mes clients étaient tous rentrés, à l'exception de M. Falcon, mais lui conduisait une Harley. Des portières ont claqué, puis le sable du sentier menant à ma maison a crissé sous des pas lourds.

Un frisson m'a parcouru l'échine. On était en pleine nuit, tout le monde dormait et j'étais seule. Même si je me mettais à hurler, j'habitais trop à l'écart et les haies de lauriers-roses et de chèvrefeuille étaient trop denses pour que mes cris réveillent qui que ce soit.

La peur s'est emparée de moi, si forte que j'entendais presque les battements de mon cœur. J'ai couru verrouiller la porte, avant de fermer les fenêtres et enfin d'attraper le téléphone… *Appeler la police*. Ils arriveraient dans, quoi ? Cinq minutes ? Dix ? Quinze ?… Mon Dieu, il serait trop tard.

Le rideau de perles a cliqueté et quelqu'un a frappé. Je me suis forcée à rester immobile. Peut-être que cette personne supposerait les lieux déserts et qu'elle s'en irait... après tout, il n'y avait rien à dérober ici... Mais depuis quand des voleurs prenaient-ils la peine de s'annoncer ?

— Police ! Ouvrez, madame Laforêt, a déclaré une voix impérieuse.

La police, à deux heures du matin ? Je me débattais déjà avec la clé de la serrure quand j'ai eu un sombre pressentiment. Il ne pouvait s'agir que de Patrick. Ils avaient dû le retrouver.

J'ai ouvert et contemplé l'homme qui me faisait face. Grand, corpulent, il arborait un panama, une veste blanche froissée et une cravate nouée lâchement autour du col déboutonné de sa chemise. Il n'avait pas une tête de policier, aussi me suis-je vite retranchée derrière la porte... jusqu'à ce que je remarque les deux gendarmes en uniforme qui l'accompagnaient.

J'ai porté la main à ma poitrine comme une actrice dans un mauvais mélo.

— Qu'y a-t-il ?

L'homme en civil a ôté son chapeau bosselé.

— Madame Laforêt, permettez-moi de me présenter. Je suis l'inspecteur Claude Mercier, de la police judiciaire de Marseille. Ces messieurs sont de la région. Il faut que je vous parle.

La police marseillaise ? Cela n'augurait rien de bon... Leur intrusion autoritaire a semblé absorber tout l'air de mon salon. Je n'arrivais plus à respirer. Il a pu se produire n'importe quoi, ai-je pensé, tout en m'affaissant sur le canapé. N'importe quoi… Mais ces hommes étaient du côté de la loi, ils ne me voulaient donc aucun mal… non ?

— Je peux ? s'est enquis Mercier.

Et il s'est assis en face de moi, les coudes sur les genoux, me dévisageant sans un mot.

— Seigneur ! ai-je éclaté quand je n'ai plus pu le supporter. Pourquoi débarquez-vous ici à une heure pareille ? Que s'est-il passé ? C'est au sujet de Patrick ?

Mercier a soigneusement posé son panama sur ses cuisses, puis il a soupiré.

— Madame Laforêt, la Porsche Carrera de votre mari a été découverte abandonnée dans un garage à la périphérie de Marseille. (Il a aussitôt levé une main.) Non, il n'était pas à l'intérieur. Pour l'heure, la police scientifique passe le véhicule au peigne fin à la recherche de traces… (sa voix est devenue plus grave)… de sang.

Ce dernier mot, prononcé d'un ton très doux, a résonné dans ma tête comme un coup de tonnerre.

— Madame Laforêt, a enchaîné Mercier, pourquoi ne me dites-vous pas tout ce que vous savez sur la disparition de votre mari ? Ce serait dans votre intérêt. Bien sûr, je m'occuperai de vous personnellement, a-t-il ajouté en se penchant vers moi d'un air de conspirateur, afin que je sois seule à l'entendre. Je veillerai à ce qu'on vous traite avec respect.

Voilà donc pourquoi la police s'était présentée ici à deux heures du matin. L'inspecteur Mercier pensait que j'avais tué mon mari et ses égards envers moi ne visaient qu'à m'arracher des aveux.

— Je vous ai déjà dit tout ce que je savais, ai-je répondu, soudain prudente.

— Vraiment ? Vous continuez donc à soutenir que votre mari est parti un beau matin, comme ça, et qu'il n'est jamais revenu ?

J'ai acquiescé d'un signe de tête, prise de sueurs froides.

— Mais maintenant que vous avez sa voiture, vous allez pouvoir le retrouver, non ? ai-je demandé. Vous et vos collègues de la police…

— La police scientifique intervient en cas de décès, madame Laforêt.

— Que dois-je comprendre ? me suis-je exclamée, stupéfaite. Où est mon mari ?

Mercier s'est lentement levé et s'est dirigé vers la porte, suivi des deux gendarmes. Dehors, l'orage grondait, de plus en plus proche.

— Nous espérions que vous pourriez nous éclairer à ce sujet, madame Laforêt. Vous êtes en effet la dernière personne à l'avoir vu, et par conséquent la première suspecte dans son éventuel assassinat.

16

Miss N

Mollie Nightingale n'arrivait pas à dormir elle non plus – sa discussion avec Lola était la cause de cette insomnie. Elle n'aurait pas dû lui parler de Tom. Chaque fois c'était la même chose : la simple évocation de son nom réveillait en elle des souvenirs enfouis qui lui faisaient ressentir avec d'autant plus d'acuité le vide laissé par sa disparition.

Elle avait toujours prédit qu'il connaîtrait une fin violente, mais lui s'était contenté de balayer ses craintes d'un « foutaises » accompagné d'une moue dédaigneuse, un matin qu'il nouait sa cravate. Il devait en avoir deux douzaines, toutes à rayures et en soie, et Mollie avait pour mission quotidienne de lui choisir « la couleur de la journée ». Elle avait apprécié ce rituel, qui lui donnait le sentiment de partager une infime partie de sa vie professionnelle. C'était idiot, elle le savait, mais ainsi en allait-il entre eux.

Tom avait fait carrière à Scotland Yard, où il s'était distingué par son obstination et son goût du risque. Dans ses fonctions de directrice d'une école de filles, le calme et le décorum faisaient office de mots d'ordre et les seuls crimes consistaient à fumer une cigarette dans les toilettes, voire, comble de l'horreur, à tricher à un examen.

Ils menaient des vies diamétralement opposées, si bien que, telles des créatures issues de planètes différentes, ils préféraient se donner rendez-vous en terrain neutre : soit dans l'appartement londonien de Mollie, soit – quand ce bourreau de travail qu'était Tom ne pouvait plus prétendre être de service le week-end – dans son cottage adoré, à Blakelys.

Le plus souvent, cependant, Mlle Nightingale passait ses dimanches là-bas, seule dans le jardin, à s'imprégner du calme de la campagne et à déverser un trop-plein d'amour sur son savant enchevêtrement de fleurs des champs. C'était là que, après le printemps et ses jonquilles dorées, l'été lui apportait son plaisir suprême : les roses, et en particulier les Gloire de Dijon, variété grimpante dont le parfum la chavirait littéralement.

« Une plante difficile, avait déclaré Tom à leur sujet. Mais c'est comme une belle femme : elle vaut bien toute la peine qu'on se donne pour elle. » Interloquée, Mollie s'était demandé ce qu'il pouvait bien savoir de ces belles femmes qui avaient besoin d'attentions particulières. Et devant celui qui était alors son mari depuis cinq ans (ils s'étaient rencontrés sur le tard, à plus de cinquante ans pour elle et quelques années de moins pour lui), elle avait imaginé ce que cela aurait été d'être jeune, belle et courtisée par un séduisant Tom Knight également rajeuni. Elle l'avait surnommé son preux chevalier le jour où, dans un pub de Kings Road – le genre d'endroit qu'elle n'avait pas l'habitude de fréquenter –, il avait suggéré qu'ils unissent leurs vies.

« Sans aller jusqu'à devenir inséparables, hein ! avait-il ajouté sur le ton de la plaisanterie. Après tout, j'ai ma vie et toi la tienne. Mais on se connaît depuis un bout de temps maintenant, il me semble qu'on s'entend bien, et tu es tout à fait le genre de femme dont j'ai besoin pour me stabiliser. »

Elle avait souri, rougissante. Deux mois plus tard elle prenait pour époux cet homme désabusé dont les yeux clamaient qu'il avait déjà tout vu, et dont les traits tirés et émaciés semblaient prévenir ses interlocuteurs : Viens pas me chercher d'embrouilles, mon vieux, je suis plus futé et plus coriace que toi.

Ils avaient passé leur lune de miel dans le cottage de l'ancien jardinier des Nightingale. Bien qu'elle eût grandi dans la demeure de ses ancêtres, Blakelys Manor, il n'était resté à Mollie que cette vieille maison après que le fisc eut prélevé sa part sur son héritage. Tom et elle avaient ensuite fait de cet endroit leur véritable « domicile conjugal », jusqu'à ce qu'elle s'y retrouve seule.

Allongée sur son lit, dans sa chambre de l'hôtel Riviera, Mollie poussa un soupir puis se redressa et se força à penser à ses projets pour le lendemain. Quels étaient-ils au juste ? s'interrogea-t-elle avant de mettre ses chaussons et d'enfiler une robe de chambre sur sa chemise de nuit lavande. Le souvenir de Tom lorsqu'il lui avait dit qu'elle ressemblait à une fleur dans ses vêtements pastel la fit

78

sourire, tout comme la crainte qu'elle avait éprouvée après coup à l'idée qu'il puisse ne pas s'agir d'un compliment.

Il est vrai qu'il était difficile à cerner, son cher Tom, du moins au début. Peu à peu cependant, il s'était ouvert à elle, et, parce qu'il appréciait sa simplicité et son approche ingénue des choses, il avait commencé à lui parler de son « autre vie », celle d'inspecteur. Sa *vraie* vie, comme il l'appelait. Et bien sûr, celle de Mollie était devenue plus passionnante à mesure qu'elle découvrait à travers lui un univers jusqu'alors inconnu.

C'est ainsi que, par une froide soirée d'hiver, alors qu'ils buvaient un cognac devant un feu de cheminée, elle lui avait pour la première fois soutiré les détails de sa dernière enquête.

L'affaire en question s'annonçait ardue, lui avait-il confié, parce qu'il s'agissait d'un meurtre atroce et que la police ne disposait d'aucun indice. Sans compter que la victime était une fillette – le genre de truc qui rendait dingue n'importe quel flic.

— Je n'arrête pas de penser à ces instants où la pauvre gosse a compris le sort qui l'attendait, lui avait-il avoué, les doigts serrés autour de son verre. Je m'imagine sans cesse ce qu'elle a dû endurer avant que ce salopard la tue.

— Qu'est-ce qui te fait croire que le coupable est un homme ? s'était-elle enquise d'un ton tranquille.

À ces mots, Tom lui avait fait face en plissant les yeux.

— Putain, Mollie, tu sais quoi ? Tu es géniale !

Il s'était aussitôt excusé de sa grossièreté puis, après quelques coups de fil et un bref au revoir, était parti en trombe au volant de sa Land Rover, direction Londres, où la mère de l'enfant et son petit ami avaient fini par être confondus.

Suite à cette histoire, Tom avait souvent raconté à Mollie ses enquêtes les plus épineuses. Elle avait ainsi beaucoup appris sur les meurtres, les viols, les assassinats mafieux – tous ces crimes dont elle n'avait jusqu'alors eu connaissance que par les journaux. Quant à Tom, il avait trouvé en elle une aide précieuse.

Mlle Nightingale sortit sur son balcon. Des éclairs zébraient le ciel et le parfum entêtant du jasmin embaumait la nuit. Elle-même ne parvenait pas à en faire pousser dans son jardin des Cotswolds ; il refusait de prendre. Peut-être la fraîcheur des nuits ne lui convenait-elle guère. Elle éprouva donc un plaisir particulier à le respirer là et à deviner la blancheur de ses pétales dans l'obscurité.

La vieille dame occupait la plus petite chambre de l'hôtel. Celle-ci étant assez sombre, Lola avait donné aux murs une couche de peinture jaune pâle qui avait hélas viré au jaune d'œuf. Un grand lit en fer forgé, une armoire en pin, deux tables de nuit dépareillées, une chaise tapissée de velours bleu et deux jolies lampes aux abat-jour en tissu imprimé de motifs campagnards complétaient le décor.

Cette chambre était aussi la moins chère, en raison de sa vue sur le parking. Mlle Nightingale ne s'en plaignait pas cependant, car de très beaux liserons bleus avaient peu à peu envahi la pergola installée au-dessus de ce dernier pour protéger les voitures du soleil. Et puis, en tendant le cou comme elle le faisait à cet instant, elle parvenait à distinguer la mer, ainsi que les lumières du sloop dans la baie.

Elle songeait combien il devait être agréable de se sentir ballotté doucement par les vagues à bord d'un tel bateau quand des phares surgirent dans l'allée. Peu après, une grosse voiture noire s'engagea à vive allure sur le parking, avant de piler dans un crissement de roues juste sous son balcon.

Mlle Nightingale recula. Elle ne tenait pas à être aperçue en robe de chambre avec son filet sur la tête. Et qui pouvait bien arriver à une heure pareille ? Le véhicule, immatriculé dans les Bouches-du-Rhône, n'appartenait à aucun des clients de l'hôtel.

Un homme de forte carrure, vêtu d'une veste blanche froissée et coiffé d'un panama, s'extirpa du siège passager en laissant aux deux gendarmes qui l'accompagnaient le soin de refermer sa portière. Il se figea un instant, le temps de se repérer, puis grogna quelque chose et les précéda le long du sentier qui menait à la maison de Lola.

Mlle N retint son souffle. La police ! À une heure pareille, il ne pouvait s'agir que d'une affaire sérieuse. Cela voulait donc dire qu'ils avaient des nouvelles de Patrick.

Perplexe, elle s'affaissa sur le fauteuil en rotin de son balcon. Il lui sembla qu'un long moment s'était écoulé lorsqu'ils revinrent enfin. Au bruit de leurs pas, elle se pencha par-dessus la balustrade pour mieux les voir, mais fut surprise par l'homme à la veste blanche qui leva la tête au même moment.

Elle retint une exclamation et se colla contre le mur, rouge de honte, jusqu'à ce que le souvenir de Tom s'impose à elle. Ce gros inspecteur au teint terreux n'arrivait pas à la cheville de son cher époux, aussi rassembla-t-elle sa dignité et rentra-t-elle en fermant les volets derrière elle.

Lola est seule, pensa-t-elle une fois que la voiture se fut éloignée. Qui sait ce que ces types lui ont annoncé ? Ils lui ont parlé de Patrick, j'en mettrais ma main au feu. Peut-être qu'ils l'ont retrouvé... lui, ou plutôt son cadavre, à mon avis.

Bien enveloppée de sa robe de chambre, elle sortit dans le couloir, descendit l'escalier en silence et, une fois dehors, se hâta vers le petit pavillon de son amie.

Elle s'arrêta toutefois lorsqu'elle constata qu'il était plongé dans le noir. Elle hésita. Devait-elle frapper et lancer : « C'est moi, Lola. Mollie Nightingale. Je voulais juste m'assurer que tout allait bien » ?

Avec un soupir, elle secoua la tête et fit lentement demi-tour. Un malheur était survenu, elle le sentait. Et elle avait assez d'expérience dans ce domaine pour ne pas se tromper.

Elle se tourna une dernière fois vers la maison aux volets fermés. Le seul éclairage visible à proximité provenait du bateau de Jack Farrar.

17

Lola

Mes paupières semblaient montées sur ressorts. Chaque fois que j'essayais de les fermer, elles se rouvraient aussitôt. J'ai donc de nouveau fixé le plafond en comptant les fissures que l'aube naissante me dévoilait peu à peu entre les poutres. Vous devinerez facilement les questions qui m'ont assaillie sans répit au fil des heures. Tous ces *pourquoi*, ces *où*, ces *qui*... Et surtout, *pourquoi moi ?* Quelle raison la police avait-elle de me croire impliquée dans la disparition de mon mari ?

Je n'avais qu'une certitude : Patrick n'aurait jamais abandonné sa Porsche dans un obscur garage de Marseille. Cette voiture était son reflet, son alter ego. Elle lui permettait de jouer les riches play-boys du Midi, et il tenait trop à cette image pour s'en défaire aussi facilement.

Debout dès cinq heures, j'ai arpenté ma terrasse, bras croisés, tête baissée, indifférente à la magnifique succession de couleurs annonçant le lever du jour : l'opale, la nacre puis le bleu-vert se succédèrent dans le ciel, que le soleil embrasa d'or. Je ne voyais que les dalles de terre cuite et mes grands pieds bronzés avec leurs ongles au vernis écaillé. Il est temps que je fasse une retouche, ai-je songé, avant de m'étonner de me soucier d'un tel détail.

Mon attention s'est tournée vers la crique, si calme, si paisible dans le petit matin. Le sloop était toujours là, flottant doucement sur la mer au gré d'une légère brise. Je me suis rappelé son propriétaire, son corps au moment où il s'était étiré, sa tête offerte au soleil et au vent... Et aussi sa petite amie, la jeune créature de rêve.

Comme j'enviais leur vie insouciante ! Moi, j'avais un hôtel rempli de clients dont je devais m'occuper, un restaurant à diriger, des menus à composer, des courses à faire, le café à préparer, des croissants à enfourner. Je ne pouvais me permettre de ruminer mes problèmes.

Je suis rentrée prendre une douche froide afin de me réveiller. Une fois habillée d'un short rose et d'un caraco blanc, j'ai chaussé mes espadrilles à semelles compensées avec les rubans autour des chevilles. Qu'est-ce qui m'avait pris de les acheter ? me suis-je demandé. Comme tous les éléments de ma garde-robe, je les avais choisies à la va-vite, alors que je me rendais au marché à Saint-Tropez ou que j'en revenais, à moins que ce n'ait été pendant les soldes. Pas étonnant que ma garde-robe soit si dépareillée... J'ai ensuite secoué mes cheveux pour les sécher un peu, me suis tartinée de crème solaire et, enfin prête, j'ai attrapé mes clés de voiture.

Ma voiture, parlons-en ! Elle ne présentait qu'un point commun avec la Porsche de Patrick : sa couleur grise. Ah, et aussi le fait qu'elle était vieille et petite. Minuscule, à vrai dire. Il s'agissait d'une antique 2 CV, une de ces « boîtes à sardines » comme on les appelait autrefois. Ce n'était même pas tant une voiture qu'un carri, parfait pour mes courses matinales, à défaut d'autre chose. Pourtant, elle m'avait paru idéale à l'époque où Patrick et moi nous étions lancés dans notre projet d'hôtel sur la Côte.

« Pense à l'argent qu'on économisera », lui avais-je soutenu avec naïveté lorsque j'avais découvert cette guimbarde garée dans une ruelle pavée de Ramatuelle, avec une affichette *À Vendre* sur l'une des vitres. En quoi je ne m'étais guère trompée, si l'on exceptait les coûts réguliers de réparation. L'ennui était que j'avais omis d'intégrer Patrick dans l'équation. Oh, bien sûr, il ne voyait aucun inconvénient à ce que je m'offre ce tas de tôle. Pas de problème. Mais lui, pendant ce temps, s'était acheté une voiture de sport – la première d'une longue série. Je commence seulement à prendre la mesure de ma bêtise.

Par chance, il existe au moins un endroit où je ne doute pas de mes facultés, et c'est ma cuisine. Là, je sais que je maîtrise tout. Arrivée avant moi, Marit a levé une main blanche de farine pour me saluer et m'a informée que le café était déjà chaud.

L'odeur des grains fraîchement moulus et des petits pains m'ayant remonté le moral, je me suis assise à table avec mon calepin et me suis forcée à chasser de mon esprit les mauvaises nouvelles de la nuit. Elles attendraient un moment plus tranquille, en fin de soirée, quand je serais seule et libre de faire les cent pas, libre de me ronger les sangs au sujet de Patrick, libre d'être moi-même. Pour l'heure, j'avais un hôtel à gérer, des clients à servir. Mon salut résidait en eux.

On était samedi, jour de marché à Saint-Tropez, et j'espérais trouver sur les étals des petites betteraves jaunes et des rouleaux de fromage de chèvre que je comptais préparer en salade avec des tomates et des quartiers de plaquemine. J'étais certaine aussi que parmi les arrivages figureraient des bouquets, et peut-être aussi des saint-pierre, ce poisson blanc qui vous met les papilles en émoi lorsqu'on le sert grillé ou sauté, accompagné d'une sauce citronnée aux fines herbes.

Bref, j'avais en tête la liste des ingrédients nécessaires à mes plats du jour, auxquels s'ajouterait tout ce que je pourrais dénicher d'intéressant – ce qui n'est pas difficile un matin de septembre sur le marché de Saint-Tropez.

Mon attention s'est soudain portée sur Jean-Paul qui passait à vélo devant la fenêtre, les yeux fermés, l'air à moitié endormi. Presque aussitôt nous est parvenu le bruit de sa chute sur la haie de romarin, suivi d'un « merde » tandis qu'il se redressait et appuyait sa bicyclette contre le mur. Quelques instants plus tard, il écartait le rideau de perles de la cuisine.

— Bonjour, madame Laforêt, bonjour, Marit, nous a-t-il lancé d'une voix ensommeillée en s'époussetant.

— Bonjour, Jean-Paul, avons-nous répliqué, non sans avoir échangé un regard déconcerté.

Qu'avait-il fait de sa nuit pour avoir une tête pareille ? Puis j'ai soupiré. Il était jeune, insouciant, et il vivait à Saint-Tropez – je devais m'estimer heureuse qu'il soit venu.

— File te doucher, lui ai-je ordonné. Et dès que tu te seras changé, il faudra préparer les tables pour le petit déjeuner. Les clients ne tarderont pas.

Devant sa mine ahurie, je me suis énervée :

— Allez ! Dépêche-toi !

Les mains dans les poches, il s'est avancé d'un pas lent vers la salle de bains aménagée au fond de la cuisine. J'ai vite avalé mon café et, après avoir demandé à Marit de veiller à ce que Jean-Paul respecte mes consignes, je suis sortie en faisant un détour par la réception pour consulter le registre.

Le seul départ prévu ce jour-là était celui des Oldroyd, les jeunes mariés anglais. Il fallait que je m'arrange pour les voir avant car je tenais à leur souhaiter tout le bonheur possible et leur assurer que je serais ravie de les accueillir de nouveau – ce qui ne manquerait pas de se produire. Les clients revenaient toujours à l'hôtel Riviera.

Appuyée contre la table en bois de rose, je fixais d'un air absent la porte d'entrée quand j'ai aperçu Mlle Nightingale. Vêtue d'une jupe en jersey vert pomme à l'ourlet mal fignolé et d'une saharienne assortie, elle contemplait avec admiration la Harley de M. Falcon, une main posée sur son cœur. Par contraste, la petite Vespa jaune de location qu'elle avait garée à côté prêtait presque à rire.

Je lui ai fait signe.

— Vous avez des nouvelles de votre mari, ma chère ? m'a-t-elle interrogée.

J'ai secoué la tête en jetant un œil autour de moi au cas où quelqu'un aurait pu nous entendre. Ce n'était pourtant un secret pour personne que Patrick m'avait quittée – je pense même qu'il n'y a pas eu de séparation plus publique depuis celle de Charles et Diana. Toute la ville était au courant, ainsi que mes clients.

— J'ai vu la police cette nuit, a-t-elle ajouté. Je ne voulais pas être indiscrète, mais j'étais sur mon balcon quand ils sont arrivés. (Elle a hésité un instant.) J'espère qu'il n'y a rien de grave, au moins.

— Ils ont découvert la Porsche de Patrick dans un garage de Marseille.

— Marseille ? Que diable fabriquait-elle là-bas ?

J'ai haussé les épaules.

— Ils la passent au crible pour trouver des indices.

Mlle Nightingale a plissé les yeux sans faire de commentaire. Je ne pouvais me résoudre à lui apprendre que j'étais la principale suspecte de M. Mercier.

— J'allais partir pour Saint-Tropez, me suis-je ressaisie. Qu'avez-vous prévu aujourd'hui ?

— Oh, pas grand-chose, a-t-elle répondu. Je passerai peut-être sur le marché, histoire d'acheter un cadeau à Mme Wormesly. Elle s'occupe toujours de mon yorkshire en mon absence.

Je lui ai proposé de l'emmener, mais elle a refusé : elle préférait prendre son Vespa, au cas où l'envie lui viendrait de prolonger sa promenade. Je l'ai donc observée tandis qu'elle se calait bien d'aplomb sur la selle de son scooter, son chapeau de paille vissé sur le crâne, son sac à main remonté sur le bras. Puis elle a démarré et s'est éloignée en cahotant.

Déjà en retard d'une demi-heure, je me suis dirigée vers ma 2 CV. Je m'installais à son volant quand les paroles de Mercier au sujet des experts qui inspectaient la voiture de Patrick me sont revenues en mémoire. Prise d'un sombre pressentiment, je me suis demandé ce qu'ils avaient pu trouver.

18

Jack

Flanqué de son chien qui vagabondait autour de lui, la truffe au ras du sol, Jack Farrar déambulait tranquillement au milieu du marché de la place des Lices, à Saint-Tropez.

Si quelque chose dans sa démarche et sa carrure signalait sans erreur possible son origine américaine, ses traits burinés et ses petites pattes-d'oie annonçaient quant à eux un homme d'expérience, qui avait déjà beaucoup vécu. Ajouté à ses cheveux bruns courts et en bataille, ses yeux de la couleur de la Méditerranée par beau temps, et les abdominaux que l'on devinait sous son vieux T-shirt bleu, ce charme rude ne manquait pas d'éveiller l'intérêt des femmes qui le croisaient. Mais Jack se bornait à leur rendre leur sourire sans s'arrêter.

Sale Chien et lui adoraient l'animation des marchés français – l'un pour les odeurs alléchantes et les gâteries susceptibles de lui tomber sous la dent, l'autre pour la façon quasi miraculeuse qu'avaient les étals de surgir de nulle part dans le petit matin : la place silencieuse s'emplissait d'abord du bruit pétaradant des moteurs à l'arrivée des camions, puis du fracas métallique des tréteaux sur les pavés et du claquement des toiles tandis que les marchands installaient leurs stands. Les poissonniers mettaient en place leur chargement argenté, et bientôt les bonjours se mettaient à fuser, tandis que chacun s'employait à disposer ses denrées avec art.

Jack appréciait aussi la chaleur du soleil matinal sur ses bras nus, et le goût un tantinet amer du premier petit noir de la journée. Il le savourait en général au café des Arts, accompagné d'une tartine de beurre croustillante, tout en regardant passer les gens. Il aimait le défilé incessant des travailleurs locaux, des touristes bronzés, des célébrités, des Parisiens snobinards et surtout des jolies filles, plus nombreuses à Saint-Tropez que partout ailleurs dans le monde.

Décidé précisément à boire un café, il se frayait un chemin parmi la foule des ménagères et de leurs filets à provisions quand, face à un odorant étal de fromages, Lola Laforêt, bifurquant juste devant lui, le heurta de plein fouet.

Déséquilibrée, elle vacilla en arrière et laissa tomber ses courses. Sale Chien, prompt à la détente, engloutit un rouleau de chèvre avant même qu'elle ait pu dire ouf.

— Sale chien ! s'écria-t-elle en tapant du pied – ce qui arracha un éclat de rire à Jack. C'est votre faute, l'accusa-t-elle.

— J'avoue, oui. Et j'en suis désolé. (Il se baissa pour sauver ce qui pouvait encore l'être.) Vous ne vous êtes pas trompée sur le nom de cet animal, mais il considère tout ce qui est par terre comme une proie. Je vous rembourserai le fromage, bien sûr, ajouta-t-il, avant de se tourner vers son cabot, qui reniflait encore le sol avec espoir. Et lui va vous demander pardon. Allez, mon vieux, présente-lui tes excuses.

Le sac à puces coula à son maître un regard exaspéré puis roula sur le dos à contrecœur, les pattes en l'air, et fixa Lola d'un air suppliant.

— Ça ne prend pas avec moi, réagit-elle sans se laisser attendrir.

— Eh ! Vous ne pourrez pas dire qu'il n'a pas essayé.

— Oui, *après* avoir mangé mon fromage !

À bien l'observer, Jack constata qu'elle était vraiment très jolie – quoiqu'un peu cassante –, aussi lui tendit-il la main en lui décochant son sourire ravageur.

— À part ça, comment allez-vous ce matin, Lola Laforêt ?

Elle se braqua aussitôt.

— Je m'appelais Lola March avant d'épouser le Français.

— Le Français, ah oui ? (Il parut pensif.) Arrêtez-moi si je me trompe, mais est-ce que je ne détecte pas une nuance péjorative dans ce mot ?

Lola serra ses sacs contre elle. Elle n'avait aucune envie d'étaler ses soucis devant un inconnu.

— Je ne vois pas de quoi vous voulez parler.

— Alors peut-être ignorez-vous aussi pourquoi vous êtes suivie par un type qui ressemble fort à un policier, riposta Jack, dont l'attention s'était rivée sur un point derrière elle.

Au même instant, l'officier Mercier surgit à côté de Lola.

— Bonjour, madame Laforêt, la salua-t-il, ignorant Jack. Toujours pas de nouvelles de votre mari ?

— Est-ce que je m'amuserais à faire le marché si c'était le cas ? se hérissa-t-elle.

— Faites attention, madame. Ne vous éloignez pas trop. Nous avons besoin de pouvoir vous localiser en permanence, ne l'oubliez pas.

Sur cet avertissement, il porta un doigt à son chapeau en guise d'au revoir et disparut dans la foule.

— On dirait la version française de « ma p'tite dame, vous avez intérêt à ne pas quitter la ville », s'amusa Jack. Qu'avez-vous manigancé, Lola Laforêt ?

Il remarqua alors qu'elle était au bord des larmes. Horrifié, il balayait des yeux les alentours en quête d'un soutien quand il aperçut Sugar qui s'avançait vers lui.

Il aurait été difficile de la rater, en fait. Habillée d'un haut rouge minimaliste et d'une jupe blanche ultracourte, elle se promenait en compagnie de deux jeunes gens bronzés qui semblaient sortis tout droit d'un calendrier de top models. Jack devina que son aventure avec elle tirait à sa fin... De toute façon, songea-t-il, elle n'était pas le genre de femme à même d'en consoler une autre.

Il se tourna vers Lola sans trop savoir que faire.

— Quel est le problème ? lui demanda-t-il, maudissant le hasard qui l'avait placée sur sa route.

Elle posa sur lui un regard empli d'effroi.

— La police croit que j'ai tué mon mari.

Du coin de l'œil, Jack vit la bouche pulpeuse de Sugar former un *Wouah* silencieux. D'instinct, il passa un bras autour des épaules de Lola, attrapa ses sacs et siffla Sale Chien.

— Venez. Que diriez-vous d'une bonne tasse de café et d'un cognac ? Ensuite, vous m'expliquerez tout.

19

Il trouva une table au calme sous les sycomores du café des Arts et, une fois Lola assise le dos aux autres clients, commanda deux fines et deux cafés au serveur, ainsi que quelques croissants, au cas où ces derniers la réconforteraient davantage.

— Merci, monsieur Farrar, fit-elle.

Il s'adossa à sa chaise pour la contempler.

— De rien, répondit-il. Et vous pouvez m'appeler Jack.

— Jack, corrigea-t-elle avec un sourire.

Ouf, elle n'allait pas fondre en larmes, songea-t-il. Sa crainte avait cependant dû être visible parce qu'elle enchaîna :

— Ne vous inquiétez pas, je ne vais pas pleurer comme une Madeleine devant tout le monde.

— Et pourquoi pas ? C'est normal, quand on est bouleversé.

— Qu'en savez-vous ?

— J'ai connu des moments difficiles, moi aussi.

— Pfff ! grogna-t-elle, au grand amusement de Jack. Ça m'étonnerait. De toute façon, je suis censée avoir les nerfs solides.

— Certainement, acquiesça-t-il – tout en demeurant sceptique.

— Je suis une femme forte, insista-t-elle. C'est toujours moi qui réconforte les autres.

Jack poussa son verre de cognac devant elle, mais elle l'examina avec suspicion.

— Je ne veux pas vous soûler ! protesta-t-il. J'aimerais juste retrouver la Lola de tout à l'heure, celle qui ne s'effondre pas quand un chien lui mange un de ses fromages.

— Le fromage n'a rien à voir là-dedans.

— Le policier, alors. Et le Français. Le fameux mari que vous avez tué ou non. Vous noterez que je vous accorde le bénéfice du doute, à ce stade.

— Que de bonté, *Jack*, ironisa-t-elle.

Il sucra son espresso et le but d'un trait.

— Puisque nous voilà amis, *Lola*, racontez-moi donc vos malheurs.

— Pourquoi ? Pour que vous ayez une histoire croustillante à servir ce soir à votre petite amie ? Laissez-moi vous dire une chose, Jack : je n'ai pas tué mon mari. Patrick a disparu… comme ça, du jour au lendemain.

Lola conclut sa phrase en mordant dans un croissant. Bon sang, elle mourait de faim.

— D'accord. Que s'est-il passé ?

Elle avala une nouvelle bouchée avec l'air de se demander ce qu'elle gagnerait à s'épancher auprès de lui. Puis elle se lança et lui exposa la situation en toute franchise.

— J'ai cru devenir folle, avoua-t-elle à la fin de son récit. J'ai tout tenté. J'ai harcelé la police locale, j'ai même engagé un détective privé, mais il s'est contenté de gaspiller son temps et mon argent dans les bars de Marseille. (Elle attaqua un deuxième croissant sans s'interrompre, ce qui fit supposer à Jack que rien ne valait un petit en-cas dans les moments de crise.) J'ai interrogé ses amis, bien sûr, ainsi que ses petites copines et les barmen du coin. En vain. Il semble qu'il n'y ait rien de plus facile que de s'évaporer dans la nature, si l'on en a vraiment envie.

— À moins qu'il ne lui soit arrivé quelque chose.

— Quoi donc ? Et pour quelle raison ? Patrick n'était pas le mauvais bougre – juste un mauvais mari. Je savais qu'il me trompait, précisa-t-elle. J'ai même eu une explication avec lui sur son... donjuanisme. Il a prétendu que ce n'était pas sa faute, que ces filles avaient juste envie de prendre du bon temps et qu'elles lui tombaient, pour ainsi dire, dans les bras. Croyez-moi, Jack Farrar, si j'avais eu l'intention de tuer Patrick, je l'aurais fait ce jour-là. Mais je ne l'ai *pas* tué. Et avant que vous me posiez la question : oui, je voulais le quitter. Seulement, je ne pouvais pas abandonner l'hôtel. C'est ma maison, mon oasis. Un endroit magnifique dans un monde qui l'est beaucoup moins.

— La police paraît convaincue de votre culpabilité. Comment allez-vous la détromper ?

Elle poussa un long soupir.

— Facile, je n'ai qu'à retrouver Patrick. J'ai aussi une autre motivation, ajouta-t-elle après un silence. Je veux lui demander en face ce qui lui a pris de disparaître comme ça en me laissant gérer seule tous les problèmes et faire face aux soupçons qui allaient forcément s'ensuivre.

— Vous recommencerez à vivre avec lui si vous lui mettez la main dessus ?

— Non. Vous voulez savoir pourquoi ? Primo, il est trop beau. Secundo, il est trop sexy. Tertio, il est trop français. (Elle éclata de rire.) L'image même de l'homme idéal ! L'ennui, c'est qu'il faisait profiter toute la gent féminine de ses qualités. Enfin, lâcha-t-elle avec un haussement d'épaules, voyons les choses en face : il n'avait que l'embarras du choix ici. Sur les plages du sud de la France, les belles filles sont aussi nombreuses que les cornets de glace.

— Et elles n'avaient peut-être pas plus d'importance à ses yeux.

— La bonne vieille excuse, grogna-t-elle. Allez raconter ça aux femmes bafouées, monsieur Farrar, vous constaterez qu'elles n'ont pas la même appréciation que vous.

— Et si jamais vous découvrez qu'il est mort ?

Lola le dévisagea, muette d'horreur.

— J'en déduis que vous l'avez aimé, fit-il doucement.

— Oh, oui, je l'ai aimé. Au début, du moins. Je croyais tout ce qu'il me disait. Mais maintenant, au bout de six ans, je ne sais pas qui est Patrick en réalité. Peut-être même ne l'ai-je jamais su.

20

Lola

Mollie Nightingale s'est dirigée vers nous d'un pas décidé, son chapeau enfoncé jusqu'aux yeux et son sac à main pressé contre sa poitrine afin de décourager les pickpockets.

— Cette jeune femme a assez d'ennuis sans que vous en rajoutiez, a-t-elle reproché à Jack après un bref coup d'œil à ma mine désemparée.

— Vous vous trompez, madame. Je suis venu à sa rescousse.

— C'est la police qui m'a mise dans tous mes états, me suis-je interposée. Je faisais mes courses quand j'ai laissé tomber mes sacs. Sale Chien en a profité pour avaler mon fromage, et ensuite Jack a entendu M. Mercier me dire que j'avais intérêt à ne pas quitter la ville. Je lui ai expliqué que ce type me croyait coupable d'avoir tué mon mari, du coup il m'a offert un café et un cognac, mais maintenant que j'ai avalé tous les croissants et que je lui ai exposé ma situation... euh, je me demande ce que je dois faire. À part retrouver Patrick pour prouver que je ne l'ai pas tué.

Au terme de ma tirade, que j'avais prononcée d'une traite, Mlle N s'est tournée vers le serveur.

— Trois espressos bien serrés, a-t-elle commandé, avant de s'adresser de nouveau à nous. Si nous avions été en Angleterre, j'aurais bien sûr opté pour du thé. Il n'y a rien de tel pour vous aider à résoudre un problème.

Bien que déconcerté, Jack lui a tendu la main.

— Je m'appelle Jack Farrar.

— Et moi Mollie Nightingale. Ancienne directrice de l'école pour filles Reine-Wilhelmine, la meilleure de Londres. Et vous, que faites-vous dans la vie, monsieur Farrar ?

— Ce n'est pas impoli d'interroger les gens sur leur métier, en Angleterre ? a-t-il plaisanté.

— Peut-être, mais vous comprendrez que j'aie besoin de me renseigner à votre sujet.

— Pour être sincère, mademoiselle Nightingale, a-t-il répliqué en se levant, je ne me sens concerné ni par Patrick ni par sa disparition. Je ne suis ici que parce que mon chien a mangé le fromage de sa femme. Et puisque mon rôle dans cette histoire est maintenant terminé, je m'en retourne à mes occupations.

— Pas si vite.

D'un geste impérieux, Mlle Nightingale lui a signifié de se rasseoir. Jack n'avait pas dû s'entendre parler sur ce ton depuis que, à l'âge de dix ans, il avait été convoqué devant le principal de son établissement pour avoir gravé ses initiales sur son bureau.

Mlle N a remonté ses lunettes sur son nez afin de mieux l'examiner. Ce qu'elle a vu lui convenait, de toute évidence, parce qu'elle a hoché la tête.

— Lola a de graves ennuis, a-t-elle déclaré, et personne ne sera de trop pour la soutenir. Monsieur Farrar, j'ai peut-être l'air d'une vieille dame inoffensive, mais je tiens à vous informer que j'ai été mariée à un inspecteur de Scotland Yard. Il y a plus reposant, croyez-moi ! C'était un homme à poigne, mon Tom. Et il n'hésitait pas à se mettre en danger.

» Nous discutions souvent de la logique des criminels. Il avait une théorie assez simple à ce sujet : ces gens-là raisonnent presque tous de la même façon, et la plupart ne sont pas des lumières, même si on note quelques exceptions. Peu à peu, j'ai épaulé Tom dans ses enquêtes – mais toujours en coulisses, bien sûr, parce que aucun homme n'aime à penser que sa femme est plus intelligente que lui, n'est-ce pas ?

Mlle N nous fixait d'un air si innocent derrière ses grosses lunettes que nous avons éclaté de rire, Jack et moi.

— En résumé, a-t-elle repris, j'offre à Lola mes services et mon expérience en matière criminelle. Nous découvrirons ce qu'il est advenu de Patrick. S'il s'est enfui avec une autre femme, mon conseil sera de vous débarrasser de lui, Lola. Et s'il lui est arrivé malheur…, alors, notre tâche consistera à démasquer le coupable.

Quel bonheur d'avoir à mes côtés quelqu'un qui avait foi en moi, qui souhaitait me tirer d'affaire !

— Merci, lui ai-je soufflé.

— Là, là… ça va aller, m'a-t-elle répondu sur un ton qu'elle avait dû employer plus d'une fois pour consoler des élèves abattues. Tout finira bien, je vous le promets.

Jack Farrar avait assisté à cette scène en semblant se demander comment il avait pu se fourrer dans un tel pétrin, et surtout par quel miracle il allait s'en sortir.

J'ignore encore ce qui l'y a poussé, toujours est-il qu'il a déclaré :

— Très bien, il faut qu'on retrouve Patrick, alors. Vous pouvez compter sur moi.

21

Toutes ces émotions m'avaient épuisée, si bien que je n'ai presque pas prononcé un mot lorsque Jack m'a raccompagnée jusqu'à ma voiture. Celle-ci paraissait sur le point de rendre l'âme et, faute d'avoir été lavée depuis des semaines, était recouverte d'une fine pellicule de poussière. Sale Chien a tourné autour, puis levé la patte avec mépris sur l'un des pneus arrière.

— Mouais, a commenté Jack.

— Elle me suffit, me suis-je agacée.

— Et depuis longtemps apparemment. (Il a donné un léger coup sur le capot.) C'est de la belle mécanique, à ce qu'on prétend, mais je n'en ai jamais eu une à moi.

— Vous ratez quelque chose ! Enfin, je suppose que les gens comme vous roulent en BMW ou en Ferrari.

— Ce qui montre combien vous connaissez mal les « gens comme moi ». On ne vous a jamais dit qu'il ne fallait pas généraliser ?

Galant, il m'a ouvert la portière, laquelle a tremblé sur ses gonds quand j'ai démarré.

— Que conduisez-vous ? lui ai-je demandé en ouvrant ma vitre.

— Certainement pas une BMW ni une Ferrari.

— Une Corvette rouge, alors ?

— Vous avez deviné juste en ce qui concerne la couleur. J'ai un 4×4 Ford rouge. Je travaille, ne l'oubliez pas. J'ai des marchandises à transporter, moi aussi, sauf que dans mon cas il s'agit de pièces de bateau, pas de provisions.

J'ai repoussé mes cheveux en arrière d'un geste impatient et calé mes lunettes de soleil sur mon crâne. Jack Farrar ne risquait guère d'imaginer qu'il avait affaire à une beauté. Je ne ressemblais à rien.

— Cette voiture est sans danger, vous êtes sûre ? s'est-il inquiété après avoir refermé ma portière.

— Elle m'a toujours menée à bon port, il n'y a pas de raison pour que ça change.

— Raisonnement typiquement féminin.

— Remarque typiquement masculine, ai-je soupiré d'un air exaspéré. Vous vous promenez en 4×4 avec vos amies ?

— Ça dépend. Mais j'ai aussi une Porsche.

— Ah ! ai-je triomphé. Je m'en doutais !

— Une *vieille* Porsche. Elle est faite pour rouler vite, et j'avoue que j'aime ça.

J'ai rabaissé mes lunettes et me suis penchée par la vitre.

— J'ignore pourquoi vous avez décidé de m'aider, Jack Farrar, ai-je déclaré, soudain humble. Mais... merci.

— En fait, je l'ignore moi aussi, m'a-t-il avoué en souriant. Il doit y avoir un truc chez vous qui me plaît bien.

Il a ensuite agité la main en signe d'au revoir tandis que j'effectuais un rapide demi-tour avant de m'éloigner.

22

Jack

— Hé, Jack, à quoi tu joues avec cette fille ? lança Sugar.

— J'essaie de la tirer d'un très mauvais pas.

Jack offrit son bras à la jeune femme et se dirigea avec elle vers le quai Jean-Jaurès, suivi par Sale Chien qui ne cessait de renifler les détritus du marché en quête de restes appétissants. La peau de son amie était douce sous sa main, et aussi fraîche que si elle venait de sortir de l'eau – ce qui était le cas, puisqu'ils avaient nagé ensemble ce matin-là.

— Tu quittes le navire ? s'enquit-il, lorsqu'ils furent attablés au Gorille devant une omelette aux fines herbes.

Porter secours à des femmes en détresse lui avait ouvert l'appétit, et ce d'autant plus que Lola avait mangé tous les croissants.

— J'y pense, admit-elle avec désinvolture.

— Tu as raison. Il faut profiter de l'instant présent.

À ces mots, elle lui décocha un sourire radieux.

— Je veux que tu saches qu'on sera toujours amis, affirma-t-elle.

— Bien sûr. (Jack lui prit la main par-dessus la table.) Ç'a été super du début à la fin.

— Oui, acquiesça-t-elle. C'était sympa.

Jack termina son omelette et demanda l'addition.

— Viens, je te ramène au bateau. Tu pourras récupérer tes affaires et je te déposerai ensuite où tu voudras.

Une lueur brilla dans les yeux de la jeune femme, mais elle ne regardait déjà plus que les deux apollons qui s'avançaient vers eux.

— Non, ce ne sera pas la peine. Ils me fileront un coup de main.

— Alors au revoir, Sugar, fit Jack en se levant pour la serrer très fort contre lui – au grand dam de son chien, qui, jaloux, se mit à aboyer.

— À un de ces jours !

Et elle courut rejoindre ses amis, lesquels passèrent chacun un bras autour de sa taille avant de l'entraîner. Amuse-toi bien, Sugar, songea-t-il. On ne vit qu'une fois.

Cette pensée le ramena au problème de Lola Laforêt, la belle éplorée dont le mari avait disparu et sur la tête de qui pesait peut-être une accusation de meurtre. Dans quoi s'était-il fourré ? Et qu'allait-il bien pouvoir faire ?

Il se tourna vers Sale Chien, mais ce dernier attendait placidement la suite des événements, assis à ses pieds. Pas la peine de solliciter son avis, constata Jack en lui caressant la tête. Il devrait se débrouiller seul.

23

Mlle N

— Jeune homme ! cria Mlle Nightingale à Jack en même temps qu'elle fondait sur lui.

Elle n'avait toujours pas quitté son chapeau de paille, lequel, nota-t-il, était retenu sous le menton par un ruban vert aussi peu assorti à sa tenue qu'à ses chaussures – ces sandales beiges propres aux vieilles Anglaises en vacances.

— Jeune homme ! le héla-t-elle de nouveau.

Jack pointa un doigt sur sa poitrine.

— Moi ?

— Quelle question ! rétorqua-t-elle, essoufflée par sa course.

— Cela faisait longtemps qu'on ne m'avait pas appelé ainsi, s'amusa-t-il.

— Vous n'êtes pas si vieux. Quel âge avez-vous au juste ?

— Mademoiselle Nightingale, soupira Jack. Vous êtes toujours aussi abrupte ?

— Pardon ?

— Ça vous arrive souvent de demander à de parfaits inconnus ce qu'ils font dans la vie, d'où ils viennent et quel âge ils ont ? À ce rythme-là, vous exigerez bientôt de voir mes relevés bancaires !

— Vos finances ne m'intéressent pas. C'est le moral de Lola qui m'importe.

— Qui pourrait lui reprocher de déprimer ? Il semble qu'elle soit sur le point d'être arrêtée pour le meurtre de son mari.

— Ne vendons pas la peau de l'ours avant de l'avoir tué, monsieur Farrar. On n'a retrouvé aucun corps.

— Pour le moment.

Tous deux s'immobilisèrent devant les énormes yachts rutilants sur lesquels bronzaient des beautés très dénudées.

— Voilà à quoi se résume Saint-Tropez en été, commenta Jack, les mains dans les poches. Des jolies filles, des crapules, de l'argent qui coule à flots et des bateaux que personne n'aime. La plupart sont loués de toute façon. Personne ne se soucie de savoir qui les a construits ni de quoi ils sont capables. Seuls comptent leur taille et leur prix. Les vrais passionnés de nautisme ne sont pas nombreux dans la marina.

— C'est pour cette raison que vous mouillez dans la crique de l'hôtel Riviera ?

— Vous voulez dire : est-ce que je n'ai pas les moyens de me joindre à ces plaisanciers ou est-ce que je préfère cet endroit ?

— On ne peut rien vous cacher. Je vois qu'il est inutile de tourner autour du pot avec vous, monsieur Farrar.

Tous deux se jaugèrent du regard.

— Vous avez de jolis yeux, continua-t-elle. De la même couleur que ceux de Tom, encore que les siens étaient d'un bleu plus pâle. Plus glacial, pour être honnête, ce que certains jugeaient en accord avec sa personnalité. Il ne s'est jamais montré froid avec moi, je vous assure, mais il est vrai que j'étais la seule à bien le connaître. Il était timide, mon Tom, et aussi solitaire, mal à l'aise avec ses collègues en dehors du travail. Il ne fréquentait pas les bars avec eux à la fin de la journée, sauf pour discuter d'une enquête. Vous, par contre, je n'ai pas l'impression que vous soyez timide. Un peu réservé, tout au plus, comme le sont les habitants de la Nouvelle-Angleterre. Enfin, je ne vous en veux pas de m'examiner ainsi. Mieux vaut savoir à qui on a affaire, surtout en de telles circonstances.

— Et vous, qui êtes-vous au juste, mademoiselle N ? Qui se cache derrière cette façade de sympathique dame anglaise ? l'interrogea-t-il à son tour avec un sourire charmeur.

Sans attendre sa réponse, il lui proposa de l'emmener faire une balade en bateau et s'excusa de l'avoir appelée par son diminutif, Mlle N. Il avait entendu Lola l'employer, lui expliqua-t-il.

— Il vous va bien, d'ailleurs. Ça vous donne un côté Agatha Christie. On vous imagine tout à fait réunissant les suspects d'une affaire dans une bibliothèque pour confondre le coupable.

Mlle N éclata d'un rire ravi.

— C'est exactement ce que disait Tom ! Il m'avait surnommée la Miss Marple des temps modernes – à tort, je tiens à le préciser. Mais j'ai toujours été curieuse, et ce n'est pas un mal quand on cherche un criminel. Si vous saviez comme les gens sont bavards ! Les voisins, les amis, les barmen : tous ne demandent qu'à parler.

— Sauf dans le cas de Lola, nuança Jack. Personne ici ne semble disposé à raconter quoi que ce soit. Mais pour en revenir à ma proposition, mademoiselle N, voulez-vous faire le tour du port en bateau ? Il faudra juste marcher un peu avant parce que mon canot est amarré assez loin. Je n'avais pas envie qu'il se retrouve coincé entre ces mastodontes.

Son instinct dictait à Mlle N de faire confiance à cet homme : il lui plaisait encore plus que la première fois qu'elle l'avait vu, même si elle nourrissait encore quelques doutes, au souvenir de la jolie blonde dans les bras de laquelle elle l'avait surpris.

— Qui était cette fille ? l'interrogea-t-elle d'un ton très collet monté. Votre petite amie ?

Jack lui jeta un regard surpris.

— Sugar est une ex, grogna-t-il ensuite. Mais pas depuis longtemps, je vous l'accorde.

— C'est-à-dire ? Depuis dix minutes ? J'avoue que votre étreinte devant le Gorille ne ressemblait guère à un baiser d'adieux.

— Que connaissez-vous au juste aux baisers d'adieu ?

Mlle N nota qu'il s'énervait et laissa tomber le sujet, bien qu'il ne fût pas anodin à ses yeux. Si Jack Farrar devait devenir intime avec Lola, elle tenait à ce qu'il montre d'abord patte blanche. Son amie ne pouvait plus se permettre d'erreurs de casting.

— Touché ! admit-elle. Certes, je ne suis pas spécialiste en la matière, mais c'est parce que je ne suis jamais passée par là. Je n'ai pas eu de flirts, voyez-vous. Tom a été le seul et unique homme de ma vie.

La simple évocation de son nom la projeta de nouveau en arrière, dans le jardin de leur cottage où ils s'asseyaient après dîner pour admirer le coucher de soleil. Dans de tels moments, Tom se sentait enfin en paix avec lui-même. Il s'emmitouflait en général dans un pull-over qu'elle lui avait tricoté et qui le protégeait de ce fichu vent du nord. « Il tuera tes tulipes et un jour il aura raison de moi », lui avait-il prédit un soir de printemps particulièrement froid. « Ne dis pas ça, Tom », s'était-elle alarmée, incapable de supporter l'idée qu'il puisse mourir un jour. Il l'avait embrassée et remerciée de se soucier ainsi de sa personne, mais non, l'avait-il rassurée, aucun vent ne le terrasserait jamais – pas tant qu'il aurait sa Mollie pour lui tricoter des pulls et lui tenir chaud au lit. Puis il lui avait coulé un regard complice et fait comprendre qu'à propos de lit... le tout accompagné d'un geste en direction de l'étroite volée de marches qui menait à leur chambre.

Elle avait viré au rouge cramoisi tant elle était timide sur « ces choses-là ». Une pudeur pareille, Jack Farrar et sa superbe petite amie ne pouvaient sans doute même pas la concevoir, supposa-t-elle.

Reste que Tom l'avait affranchie en matière de sexe, en plus de l'amour. Et la connaissance de ce besoin primaire l'avait aidée dans son travail de

112

détective amateur. Il convenait de savoir comment les hommes le ressentaient, ce qu'ils pensaient réellement du plaisir et des femmes, et aussi garder à l'esprit que « l'amour » entrait rarement en ligne de compte.

Le sexe était le sexe, point à la ligne. Tom le considérait comme le principal mobile de meurtre. À cet égard, rien ne pouvait lui être comparé, pas même l'argent. Et c'était ce sujet qu'elle souhaitait aborder avec Jack.

— Alors, mademoiselle N ? insista Jack. Qu'en dites-vous ?

— Oh... oh... Oui, bien sûr, bafouilla-t-elle, avant d'afficher un sourire espiègle, la tête encore pleine de ces instants intimes partagés avec Tom.

Jack l'aida à monter dans son canot, mais elle qui détestait être traitée comme une vieille dame s'agaça des multiples précautions qu'il déployait.

— Je ne suis pas en sucre !

— Désolé, fit Jack, qui ajouta ensuite, exaspéré : Entre Lola et vous, j'ai l'impression d'avoir passé la matinée à m'excuser !

Il accéléra une fois sorti de la marina. Mlle N laissa pendre une main par-dessus bord et contempla l'eau turquoise en savourant le plaisir de sentir les embruns sur sa peau. N'ayant jamais fait de bateau durant tous ses séjours sur la Côte d'Azur, elle appréciait beaucoup de ne plus seulement admirer la mer depuis le rivage.

— Vous ne m'avez toujours pas dit votre âge, Jack Farrar, cria-t-elle.

— Bon sang, grommela-t-il. Vous ne renoncez jamais, hein ?

— Mon mari voyait là ma principale qualité, rétorqua-t-elle, ce qui eut au moins le don de le faire rire.

Parvenu au niveau du sloop, Jack coupa le moteur. Il attendit qu'ils aient dérivé vers la poupe, puis attrapa la corde immergée et la tira pour se rapprocher de son bateau.

— J'ai quarante-deux ans, mademoiselle N, lui apprit-il. Je suis donc encore assez jeune.

— Assez jeune pour quoi ? s'enquit-elle d'un air innocent.

— Je commence à croire que vous êtes une vraie chipie ! s'exclama-t-il, hilare, en même temps qu'il l'aidait à se hisser à bord. La réponse à votre question est : assez jeune pour le sexe, l'amour et le rock'n roll – dans cet ordre.

— J'aurais préféré que vous inversiez les deux premiers, mais bon, vous n'avez pas omis l'amour, c'est déjà ça.

Elle s'assit sur un rouleau de corde, redressa son chapeau et opina du chef lorsqu'il lui proposa de se désaltérer.

— Une limonade serait parfaite, merci.

— Je n'en ai pas. Vous avez le choix entre un Coca, du jus d'orange et de l'évian.

— Va pour l'évian.

Elle apprécia qu'il la lui serve dans un verre au lieu de lui tendre simplement la bouteille, comme le faisaient tant de gens. « Les bonnes manières ont leur importance, répétait-elle souvent à ses élèves.

114

De même que la politesse. Elles arrondissent les angles et nous permettent de rester civilisés. »

— Pour en revenir à Patrick, déclara-t-elle. Que lui est-il arrivé, à votre avis ? S'est-il enfui avec une autre femme en laissant Lola en plan ? Avait-il des soucis financiers ? Est-il mort ?

— Il est mort, c'est évident. Je le sens.

— Moi aussi. Et mon intuition ne me trompe jamais. Il nous faut donc déterminer maintenant s'il a été assassiné. Et si Lola est coupable ou pas.

— Vous, vous pensez qu'elle l'a tué ?

— Non, pas du tout ! Il ne peut s'agir que de quelqu'un d'autre mais, pour être sincère, je n'ai aucune idée de l'endroit où chercher Patrick ou son meurtrier. Une seule chose est sûre : cette personne avait un mobile. Nous ne sommes pas face à un crime passionnel irréfléchi. Sa disparition est trop nette, trop parfaite. Et il a fallu six mois à la police pour retrouver sa voiture, ce qui porte à croire qu'elle a été abandonnée récemment dans ce garage marseillais. Aucune Porsche ne serait restée si longtemps dans un lieu ouvert à tout vent sans attirer l'attention, non ?

Jack en convint.

— J'ai appris à connaître Patrick à force de séjourner à l'hôtel chaque année depuis son ouverture, ajouta Mlle N. Cet homme ne tenait pas en place. Il était séduisant, un peu suave, un vrai bourreau des cœurs. Et il vouait à sa voiture le même amour qu'à sa personne. Elle et lui ne faisaient qu'un à ses yeux.

— Donc, la voiture disparaît, Patrick disparaît, la voiture réapparaît… et ensuite ?

Mlle N le sonda du regard.

— À quoi pensez-vous ?

Jack se tourna vers l'hôtel Riviera, si beau, si paisible par-delà les eaux bleues. L'endroit idéal pour se détendre et oublier ses soucis, médita-t-il, avec en prime le plaisir de se régaler grâce aux bons petits plats mitonnés par une jolie rousse.

— Lola est en danger, déclara-t-il. Ça aussi, je le sens.

— J'ai peur que oui, acquiesça Mlle N, qui songea soudain combien il serait formidable que son amie ait un homme à la maison – surtout de la trempe de Jack Farrar.

— Une femme ne saurait souhaiter meilleur garde du corps, réfléchit-elle à voix haute.

— Que qui ? Moi ?

— Qui d'autre ? sourit-elle. Merci de vous proposer, en tout cas.

C'est ainsi que Jack, désarçonné, se retrouva chargé de veiller sur Lola.

24

Lola

Mlle N avait prévu une « conférence au sommet » avec Jack Farrar à 18 heures 30, mais ma peur d'avoir bientôt à affronter la réalité me poussait à errer comme une âme en peine dans la cuisine en évitant de consulter l'horloge.

— Vous comptez broyer du noir encore long-temps ? m'a lancé Nadine devant ma mine inquiète. Parce que ça ne vous va pas du tout.

— J'ai mal à la tête, ai-je prétexté.

Elle a aussitôt essoré un torchon imbibé d'eau froide et me l'a posé sur les yeux. Il était si glacé que je n'ai pu retenir un cri.

— Du nerf, Lola, m'a-t-elle conseillé en riant. Ce n'est pas le moment de vous effondrer, on a un dîner à préparer. Et puis, a-t-elle ajouté d'un ton sec, Patrick ne mérite pas qu'on pleure pour lui.

Je l'ai écoutée une fois de plus et me suis concen-trée sur mon travail. Prise d'une frénésie culinaire, j'ai évacué les sentiments que m'inspirait M. Mercier en écrasant un mélange d'olives, d'anchois, de thon, de câpres et d'huile destiné à être servi en tapenade à l'apéritif. Pendant ce temps, Marit a nettoyé les saint-pierre afin que je puisse les faire cuire. J'entends déjà vos questions, alors sachez que oui, comme la plupart des chefs français, je cuisine au beurre et à la crème. Les clients de l'hôtel Riviera ont pour obligation de laisser derrière eux leurs peurs de citadins, leur régime, et de profiter de la vie. Après tout, les vacances n'ont pas d'autre raison d'être.

Jean-Paul, très actif pour une fois, lavait les fruits et les légumes livrés comme tous les matins par un maraîcher. Il y avait là des carottes nouvelles, des radis roses, des choux-fleurs, des courgettes et de fins haricots. Plus loin, des laitues attendaient d'être épluchées à côté des ingrédients nécessaires à la confection de leur vinaigrette.

Quant à moi, il fallait que je bouge, que je m'occupe – ce n'était pas le moment de penser à Patrick. J'ai mis un CD de Barry White, monté le volume, puis me suis attelée au dessert du jour, à savoir un clafoutis. Ensuite, je suis allée à la tonnelle cueillir des figues pour accompagner mon sorbet aux framboises. Je n'ai ainsi cessé de m'activer, empilant les brownies dans un coin, essuyant les plans de travail, surveillant les plats en cours de cuisson, puis je suis sortie souffler quelques instants sur la terrasse. Là, j'ai fait les cent pas sans accorder la moindre attention au paysage – du moins au début, parce que mes yeux n'ont pas tardé à se tourner vers le sloop doucement ballotté par les vagues. Il n'y avait aucun signe de vie à bord. J'ai supposé que son propriétaire faisait la sieste avec sa blonde sculpturale et, chose étonnante, cette image m'a procuré un pincement au cœur qui ressemblait fort à de la jalousie. Mais non, je ne pouvais pas être jalouse. Enfin quoi, je connaissais à peine cet homme ! Je lui enviais juste son style de vie, voilà tout.

Un caquètement familier a retenti, tandis que Scramble s'avançait vers moi.

— Je t'aime, drôle de petite créature, lui ai-je murmuré en caressant ses plumes.

Elle m'a jeté un regard en coin, à la manière des poules, et, alors que je me demandais s'il était exagéré d'attribuer à cette mimique le sens de « Je t'aime, moi aussi », la voix grave de mon chanteur préféré m'a enveloppée. Jack Farrar l'entendait-il, lui aussi ? Oh, que ne donnerais-je pas pour avoir un Barry White à moi, ai-je soupiré, au moment même où mes jeunes mariés rejoignaient la terrasse.

— Tout va bien, Lola ? s'est enquis M. Lune-de-Miel.

— On est au courant, pour vos ennuis, a ajouté sa femme avec compassion. Comme tout le monde d'ailleurs. On a préféré éviter le sujet jusqu'à présent, mais il est évident que vous êtes bouleversée. Avez-vous eu... de mauvaises nouvelles ?

— Pas celles que vous croyez, les ai-je rassurés. De mauvaises nouvelles, oui, mais d'ordre général.

M. Lune-de-Miel m'a entourée de son bras.

— Lola, mon père est avocat et il a des associés à Paris et en Avignon, où il se trouve en ce moment.

Beaucoup d'Anglais ont rencontré des tas de difficultés après avoir acheté des propriétés en France, alors il sait comment se passent les choses ici. Si vous avez besoin d'un conseil juridique, c'est l'homme qu'il vous faut.

Ils étaient si charmants, si soucieux de moi, si constants dans leur soutien... Je les ai remerciés en songeant une nouvelle fois à la chance que j'avais de pouvoir compter sur de tels amis. Puis une pensée m'a traversé l'esprit.

— Vous ne deviez pas rentrer aujourd'hui ?

— Oui, mais on se plaît tant ici qu'on a décidé de prolonger notre séjour d'une semaine, m'a expliqué M. Lune-de-Miel. Nadine nous a dit que ça ne posait pas de problème et qu'on pouvait garder la même chambre. J'espère que vous n'y voyez pas d'inconvénient ?

— Un inconvénient ? Mais c'est merveilleux ! Je vous envoie Jean-Paul avec une bouteille de champagne. Nous allons fêter ça !

Je me suis hâtée vers la cuisine. Immaculée, bien rangée, elle offrait un contraste saisissant avec la petite maison sans cesse en désordre vers laquelle j'ai ensuite dirigé mes pas. Là, des bouquets de fleurs débordaient des vases et la cheminée se remplissait des branches et des feuilles que je ramassais au cours de mes promenades. Mon parfum, renversé, s'était répandu dans ma chambre, où gisaient aussi mes habits de la veille. Une paire de sandales se cachait sous le lit, les rideaux assortis au dessus-de-lit pendaient sur le côté, les bougies étaient consumées. J'avais sous les yeux l'image exacte de mon existence : d'un côté, l'hôtel et ma cuisine, en tout point exemplaires. De l'autre ma maison et ma vie privée – le chaos total.

J'ai tenté sans enthousiasme de me ressaisir. Je devais aller chez le coiffeur, refaire ma manucure, m'acheter des vêtements neufs. Mais pour finir, j'ai eu recours à la même excuse que d'habitude : j'étais trop occupée, je n'avais tout simplement pas le temps.

J'ai pris une douche et laissé l'eau emporter mes peurs. Cette journée avait été l'une des plus étranges de ma vie – et ce n'était pas terminé.

25

L'après-midi commençait à peine. Vêtue d'un body de sport, j'effectuais quelques exercices au petit bonheur la chance dans l'espoir que cela m'aiderait à remettre un peu d'ordre dans mes idées quand j'ai entendu ma colonne vertébrale craquer. La faute à mes articulations rouillées, ai-je pensé, avant de m'apercevoir qu'il s'agissait en réalité d'un bruit de pas sur le sentier menant à la maison. Des pas légers. J'ai essuyé la sueur sur mon front et me suis levée pour découvrir qui venait me rendre visite.

Si je n'avais jamais vu la personne qui se tenait sur le pas de la porte, elle savait qui j'étais.

— Lola, a-t-elle déclaré en souriant. Enfin, on se rencontre.

— Pardon ?

J'avais devant moi une femme superbe, la quarantaine, mince mais tout en courbes, avec de longs cheveux bruns et des yeux turquoise. Si turquoise d'ailleurs que j'ai supposé qu'elle portait des lentilles de couleur.

— Je peux vous appeler Lola, au fait ? Après tout, vous m'êtes très familière.

— Ah oui ?

— Grâce à Patrick. Mon vieil ami.

Sans oser comprendre pourquoi elle avait souligné ce dernier mot, je l'ai invitée à entrer. De toute façon, je n'avais pas le choix : elle était venue me parler, non ?

— Désolée pour ce bazar, ai-je dit en tapotant les coussins et en lui désignant le meilleur fauteuil.

— *Thank you.*

Elle avait prononcé ce remerciement avec un accent français exquis. Même un banal « *thank you* » devenait doux et sensuel dans sa bouche. Oh, Patrick, ce n'est tout de même pas encore une de tes conquêtes ! ai-je ruminé, découragée. J'ai cependant proposé quelque chose à boire à ma visiteuse : thé glacé, Coca light, eau ? Il faisait une telle chaleur...

— Un thé glacé m'ira très bien, m'a-t-elle répondu en même temps qu'elle m'inspectait de la tête aux pieds sous ses longs cils. Mais permettez-moi d'abord de me présenter : je suis Giselle Castille, une amie d'enfance de Patrick. Il a déjà dû vous parler de moi, n'est-ce pas ? Il a été garçon d'honneur à mon mariage – soit dit en passant, je suis veuve désormais –, et nous nous connaissons depuis *si* longtemps tous les deux.

Soudain consciente d'être en nage et à demi nue, j'ai tiré sur mon body et enroulé ma serviette-éponge autour de ma taille. Comme j'aurais aimé que cette fille sorte de ma vie ! Et puis, ai-je pensé, si les petites amies de Patrick doivent défiler chez moi à l'avenir, j'apprécierais d'être avertie pour pouvoir paraître à mon avantage. Difficile de rivaliser avec quelqu'un d'aussi sexy, sophistiqué et charmant que Mme Giselle Castille.

— Non, il n'a jamais mentionné votre nom, mais il est vrai qu'il avait beaucoup de relations.

Bien que je me sois gardée de préciser « féminines », Giselle a souri. Elle avait compris.

— Ça ne m'étonne pas. La liberté est la raison d'être des hommes comme lui. Ils ressemblent à des oiseaux migrateurs qui vont de pays en pays en quête de soleil et de jolies femmes. Mais je ne vous apprends sûrement rien.

J'ai inspiré à fond, me suis excusée et suis allée lui chercher son thé. Mes mains tremblaient lorsque j'ai sorti la boisson du frigo pour la poser sur un plateau.

De retour dans le salon, je l'ai surprise en train d'examiner sur la console une photo, un portrait de Patrick, que j'avais réalisé dans les jardins du grand château où nous avions passé une nuit en Bourgogne. Les yeux plissés, le sourire aux lèvres et les cheveux ébouriffés par le vent, il était beau à tomber par terre.

— Dites-moi, madame Castille, que suis-je censée savoir à votre sujet ? l'ai-je questionnée en servant le thé. Et pourquoi êtes-vous ici ?

— Je vous en prie, appelez-moi Giselle. (Elle a reposé la photo et s'est rassise.) Je suis venue vous voir parce que j'ai entendu des rumeurs selon lesquelles la police vous soupçonne d'être impliquée dans la disparition de Patrick. J'imagine dans quel état vous devez être et, en tant qu'amie de votre mari, je tiens à vous offrir mon aide. Si je peux faire quoi que ce soit, Lola, n'hésitez pas à me le demander. Les amis sont les amis, voyez-vous, et pour moi cela s'étend à la femme de Patrick.

J'en doutais, mais en même temps, quelle autre raison avait-elle d'être là ?

— Merci. Il n'y a pourtant pas grand-chose à faire. J'ignore où il se trouve, et la police aussi.

— Ils ont découvert sa voiture, a-t-elle rétorqué.

Elle me prenait au dépourvu. Même si je ne concevais guère comment cet élément de l'enquête avait pu devenir public, force m'était de constater que ma vie devenait l'objet des ragots locaux.

Giselle a remué son thé lentement. Habillée d'un corsaire griffé Pucci, de fines sandales incrustées de pierreries et d'un corsage assorti à la couleur de ses yeux, elle renvoyait l'image d'une redoutable séductrice.

— On se connaît depuis l'enfance, Patrick et moi, m'a-t-elle répété. On a pour ainsi dire grandi ensemble.

N'ayant jamais rencontré personne qui eût côtoyé Patrick quand il était petit, j'ai dressé l'oreille.

— On habitait Marseille, a-t-elle continué. Nos familles travaillaient dans le même secteur d'activité : celle de Patrick pêchait, tandis que la mienne achetait des poissons pour les revendre, frais ou congelés, en France et en Europe. Mes parents étaient riches. Ceux de Patrick ne vivaient pas dans le besoin, loin de là, mais on évoluait dans des milieux différents.

Elle a de nouveau remué son thé, et le tintement délicat de sa cuillère contre les glaçons de son verre m'a fait penser à nous comme à deux femmes qui se seraient échangé des secrets sur leurs amants un après-midi d'été.

— Nous avons fréquenté les mêmes écoles, la même université – sauf que lui a abandonné ses études en cours de route. Puis je me suis installée à Paris pendant qu'il partait mener la belle vie en sillonnant le monde. On se revoyait de temps à autre, le plus souvent à Paris, et en été dans ma villa sur les hauteurs de Cannes. On « sortait ensemble », pourrait-on dire. (Elle m'a alors dévisagée avec une froideur stupéfiante.) Nous avons toujours été… très bons amis, lui et moi. *Toujours.* Et aujourd'hui, ma chère Lola, je me présente à vous comme *votre* amie.

— Vraiment ?

— Patrick me parlait de ses problèmes, vous savez. Vous aussi, vous pouvez vous confier à moi. Je vous conseillerai de mon mieux.

— Merci, ai-je répondu, parce qu'elle était mon invitée et la « bonne amie » de Patrick, et que je pouvais difficilement lui ordonner de disparaître de ma vue.

— Vous imaginez bien que je lui ai prêté de l'argent, a-t-elle ajouté de but en blanc. Beaucoup d'argent même. Peut-être l'ignorez-vous, mais sa situation financière était désastreuse. Tout ça à cause de ses dettes de jeu. Il y a eu… Il y a eu des menaces.

— Des menaces ? me suis-je exclamée. De quel genre ? Vous devriez en faire part à la police !

— Ils sont au courant de ses problèmes. Ne vous inquiétez pas, Lola, a-t-elle ronronné. Je ne suis pas venue vous réclamer de l'argent – même si je suis en droit de le faire d'un point de vue légal. Et je suppose que cette petite parcelle de terrain n'est pas sans valeur...

S'agit-il d'une menace voilée ? me suis-je demandé, tandis que Giselle se levait sans avoir touché à son verre. Ses paroles ne me disaient en tout cas rien qui vaille pour l'avenir de mon hôtel.

— Vous a-t-il signé une reconnaissance de dette ?

— Ce n'était pas nécessaire entre nous, m'a-t-elle répliqué avec un sourire félin. Mais croyez-moi, j'ai d'autres preuves. (Elle m'a tendu une carte de visite.) Tenez, voilà mon numéro. Appelez-moi quand vous voulez. Et surtout, prévenez-moi si vous avez des nouvelles de Patrick.

Je l'ai accompagnée jusqu'à la porte, devant laquelle nous avons échangé une poignée de main.

— Bien sûr, j'ai conscience que nous n'avons toujours pas la moindre idée de l'endroit où il se trouve, a-t-elle conclu. Ni même s'il est encore vivant.

Glacée, je l'ai observée s'éloigner sur le sentier d'un pas léger, aussi souple qu'une panthère. Quel salaud tu fais, Patrick, ai-je songé. Partout où j'irai, il faudra que je rencontre des femmes comme elle. De « vieilles amies » qui viendront me raconter ce genre de choses sur ton compte.

26

J'ai chassé Giselle Castille de mon esprit afin de me concentrer sur ma tenue de la soirée. Ce n'était certes pas pour les beaux yeux de Jack Farrar que je prêtais tant d'attention à mon apparence. Non, pas du tout. Je cherchais juste à flatter mon ego. Et c'est ainsi que, refus de voir la réalité en face ou pas, j'ai laissé sécher mes cheveux au soleil et mis mon plus bel ensemble de lingerie. Ma robe abricot dansait de façon charmante au niveau des genoux – quoique, à bien y réfléchir, ces derniers ne soient pas mon meilleur atout. Tant pis, tout ça n'est qu'affaire de confiance en soi, me suis-je dit, alors que je recouvrais mes cils de mascara. J'ai ensuite examiné le résultat d'un air sceptique. Aurais-je dû les colorer en noir plutôt qu'en marron ?

Exaspérée, j'ai détourné la tête. Je suis comme je suis, ai-je pensé, un point c'est tout. Un pschitt de parfum et une retouche de vernis plus tard, j'ai glissé mes grands pieds dans mes sandales à talons hauts et effectué quelques pas. L'espace d'un instant, j'ai redouté d'avoir commis une erreur en les achetant, mais elles étaient si jolies et leur prix si raisonnable que je n'avais pu résister à la tentation.

Étonnée qu'il faille fournir tant d'efforts pour se pomponner – la faute peut-être au manque d'entraînement –, j'ai fini par décider que j'étais prête. De plus, cela faisait déjà un quart d'heure que j'aurais dû être aux fourneaux, ou en train de servir les apéritifs et de détailler à mes clients le menu du jour. J'imaginais déjà leur réaction devant mon allure, eux qui avaient tellement l'habitude de me voir en tenue de chef cuisinier !

La main sur la poignée de la porte, je me suis arrêtée net. Et si j'en avais trop fait ? Jack Farrar venait discuter de Patrick, pas me rendre visite *à moi*.

J'ai donc filé en hâte dans ma chambre afin de troquer ma robe et mes sandales contre un T-shirt, un corsaire et des tongs, plus confortables. Puis, sans même me regarder dans la glace, je me suis dirigée d'un pied ferme vers l'hôtel.

Jean-Paul disposait des olives et des crudités sur les tables de la terrasse pendant que Mlle Nightingale sirotait son pastis. Je l'ai complimentée sur sa robe bleu et blanc qui lui donnait l'air d'une porcelaine de Wedgwood, et j'ai glissé un œil vers le sloop de Jack. Rien ne bougeait à son bord, mais il n'était encore que 18 heures 15.

Après avoir vérifié le travail de Nadine et Marit en cuisine, j'ai disposé mes bruschettas aux tomates sur des plateaux, réparti la tapenade dans des coupelles, rempli des corbeilles en osier de différents pains, vérifié la cuisson des poissons, si l'agneau était prêt à cuire, jeté un œil sur la salade et les clafoutis. Puis je suis retournée dehors m'assurer que mes clients ne manquaient de rien.

Ébahie, j'ai découvert Mlle Nightingale et M. Falcon en grande conversation. L'institutrice avait dû l'aborder au moment où il avait rejoint sa table.

— Quelle magnifique moto vous avez, monsieur Falcon, l'ai-je entendue le féliciter.

— Euh... merci.

— Mon mari aussi possédait une Harley, mais la sienne était turquoise. Drôle de couleur pour un inspecteur de Scotland Yard, vous ne trouvez pas ?

— Oui... je suppose, a bafouillé Falcon, visiblement mal à l'aise.

— Cela dit, j'ai toujours considéré que les gros moteurs allaient de pair avec les hommes de pouvoir.

— Oui, vous avez sans doute raison, madame.

— Mlle Nightingale, a-t-elle rectifié alors qu'il commençait à s'éloigner. Et j'ai été ravie moi aussi de vous rencontrer !

Mais déjà, il pressait le pas vers une table située à l'autre extrémité de la terrasse, aussi loin d'elle que possible.

— Eh bien, mademoiselle N, je crois que vous l'avez effrayé, ai-je déclaré.

— J'avais envie de rompre la glace, s'est-elle justifiée d'un ton serein. De voir ce qu'il cachait derrière ses airs de gros dur.

— Et ?

130

— C'est bien ce que je craignais, il est dangereux. Le problème consiste maintenant à savoir ce qu'il fabrique ici. À l'évidence, il préférerait loger ailleurs qu'à l'hôtel Riviera, ce qui m'incite à penser que sa présence parmi nous a un rapport avec Patrick.

À ces mots, je me suis effondrée sur une chaise à côté d'elle.

— Mais lequel ? me suis-je demandé à voix haute, juste au moment où arrivait Jack Farrar.

27

J'ai remarqué le vieux jean délavé et la chemise froissée dont il avait roulé les manches. L'un et l'autre semblaient n'avoir jamais vu de fer à repasser à bord du sloop, même s'il fallait reconnaître qu'ils étaient d'une propreté irréprochable. J'ai aussi été frappée par l'éclat de sa peau bronzée, ses mâchoires carrées, ses yeux du même bleu que son jean, ses cheveux courts, dont on aurait dit qu'il les avait coupés lui-même, son nez un peu bosselé et son sourire ravageur. Cet homme était beau comme un dieu.

Je ne regrettais pas de m'être changée, en tout cas, car ma robe aurait donné l'impression que j'essayais de lui plaire – ce qui aurait hélas été justifié.

— Bonsoir, mesdames, nous a-t-il saluées avec une petite courbette, avant de se tourner vers moi. Vous avez meilleure mine, Lola.

— Dites plutôt que je ressemble à un être humain, à présent, ai-je répondu, sur la défensive – je ne m'étais pas démaquillée et je ne tenais pas à ce qu'il s'imagine que je m'étais apprêtée pour lui.

— Presque, a-t-il plaisanté.

— Je vous sers un peu de vin ?

— Volontiers.

Je lui ai apporté cette fois une bouteille élaborée à partir de notre propre raisin – le vignoble était situé en haut d'une colline non loin de l'hôtel. Certes, ce cru ne valait pas la cuvée Paul-Signac, mais il était tout à fait consommable. Le hochement de tête approbateur de Jack me l'a d'ailleurs confirmé tout en m'emplissant d'une satisfaction plus grande que je ne l'aurais voulu.

— Mlle N soupçonne l'un de mes clients d'avoir quelque chose à cacher, ai-je déclaré pour entrer dans le vif du sujet. Le type assis à l'autre bout de la terrasse.

Jack a aussitôt pivoté dans sa direction.

— Je l'avais remarqué hier soir, nous a-t-il appris. Je pense l'avoir déjà croisé, mais je n'arrive pas à me rappeler où. Une chose est sûre, pourtant : sa présence ici ne le ravit pas.

— La Harley garée devant l'hôtel lui appartient, l'a informé Mlle N en se penchant en avant avec une mine de conspiratrice. Comme je l'ai déjà dit à Lola, il me paraît dangereux.

Nous avons tous trois contemplé Falcon qui, le dos au paysage, buvait un whisky et avalait ses bruschettas aux tomates comme s'il s'était agi de vulgaires cacahuètes. Ses gros doigts blancs parsemés de poils noirs m'ont donné la chair de poule tant ils m'évoquaient d'horribles bestioles velues. Quant à son cou épais, ses larges épaules et ses longs bras, ils n'étaient pas non plus pour me rassurer.

— Une vraie brute, ai-je murmuré.

— Il vous espionne, a décrété Mlle N. Pourquoi, sinon, serait-il descendu à l'hôtel Riviera ? Je mettrais ma main au feu qu'il y a un rapport avec Patrick.

— Et moi, je fais confiance à votre intuition, mademoiselle N, a convenu Jack. Je ne vois pas d'autre raison possible à sa présence ici. Il a cherché à vous parler, Lola ?

— Non, il ne m'a adressé la parole que pour me demander une chambre – la meilleure – et commander ses repas. À part ça, il m'a ignorée presque tout le temps. Et il n'accorde pas plus d'attention aux autres clients, même s'il se promène souvent autour de la propriété. Il faut croire qu'il admire le jardin.

— Il n'a rien d'un jardinier ! s'est exclamée Mlle N.

Mais sans l'écouter, j'ai observé Jack, le mouvement de sa pomme d'Adam pendant qu'il buvait son vin. Arrête de faire une telle fixation sur lui, me suis-je exhortée. Ce n'était pas parce que je n'avais pas fréquenté un homme depuis des lustres que je devais perdre tous mes moyens devant le premier venu, si séduisant fût-il. Sans compter qu'il y avait Patrick.

— J'ai interrogé un ami à Marseille, m'a annoncé Jack, avant de préciser devant mon étonnement : On rencontre beaucoup de gens quand on parcourt les mers. Un copain dans chaque port, vous connaissez le refrain. Bref, ce gars est un ancien flic qui mène des enquêtes privées pour arrondir ses fins de mois. Il a accepté de se renseigner sur la Porsche – où se trouve le garage, dans quel état est la voiture, etc. – et sur les hypothèses privilégiées par la police. (Il m'a paru peser ses mots, puis est allé droit au but.) Y compris celle selon laquelle votre mari serait mort. Vous devez avoir conscience qu'elle existe.

J'ai baissé les yeux en me demandant si je serais capable de surmonter cette épreuve. Il m'était insupportable d'imaginer que Patrick, ce bel infidèle, puisse ne plus être de ce monde.

— La séance est levée, s'est interposée Mlle N.

J'ai rempli nos verres d'une main tremblante et, après avoir prié Jean-Paul de nous apporter une deuxième bouteille, j'ai raconté la visite que m'avait rendue Giselle Castille.

— Une maîtresse de longue date, a tout de suite supposé Jack.

— Et jalouse, à n'en pas douter, a renchéri Mlle N.

— Vous étiez au courant de ces dettes de jeu ?

— Je constatais juste qu'on était toujours à court d'argent, ai-je répondu, mais vous savez, je ne gère qu'un petit hôtel qui génère peu de bénéfices.

— Elle travaille pour le plaisir, a expliqué Mlle N.

— Tout comme Patrick jouait pour le plaisir, a rétorqué Jack. Sauf que lui se débrouillait mal, si l'on en juge par les ennuis qu'il s'est attirés – du moins d'après Mme Castille.

— Je la crois, ai-je affirmé. J'ai fait la connaissance de Patrick à Las Vegas et il était tout le temps au casino. Évidemment que c'était un flambeur.

— Et un perdant, a conclu Jack.

Au même instant, Red Shoup est apparue sur la terrasse, très sûre d'elle, comme à l'accoutumée, dans une robe en soie couleur corail, avec une étole vert agate jetée sur les épaules.

— Bonsoir, mes amis ! Comment allez-vous, Lola ?

Après les politesses d'usage, je l'ai présentée à Jack, puis Jerry Shoup nous a rejoints et sa femme et lui sont restés boire un verre de vin à notre table afin de nous faire le récit de leur journée.

Tandis que j'en profitais pour m'éclipser dans ma cuisine, je suis tombée sur Budgie Lampson et les deux garçons dont elle avait la charge. La saison touchait à sa fin, me suis-je soudain rendu compte. Bientôt, mes clients seraient tous partis. Que ferais-je une fois seule face à mes problèmes, avec la police qui me tenait à l'œil, les dettes de Patrick à régler, et le mystérieux M. Falcon tapi dans l'ombre ? Cette seule pensée me donnait froid dans le dos.

— On dirait que vous venez de croiser un revenant ! m'a taquinée Budgie, avant de plaquer une main sur sa bouche, consternée. Oh ! bon sang, j'ai encore gaffé.

Je n'ai pu m'empêcher de rire, tant ses boucles blondes et ses yeux bleus lui conféraient un air angélique.

— Ce n'est pas grave, l'ai-je rassurée. Et puis, ce n'était pas un revenant qui m'a fait frissonner, mais juste le vent frais. Ça m'a rappelé que l'automne approchait à grands pas.

— Ce ne sera pas trop tôt ! Ces petits monstres retourneront à l'école et je pourrai enfin souffler. À moi Londres, le froid et la neige... Votre hôtel me manquera, Lola. Et vous aussi, bien sûr.

Sur ce, elle m'a tapoté le bras en signe d'encouragement, juste au moment où mes adorables jeunes mariés ont surgi à leur tour. J'étais contente qu'ils aient prolongé leur séjour, bien qu'ils m'aient confié que leurs finances en pâtiraient jusqu'à la fin de l'année. Je les ai conduits à leur table et, après avoir envoyé Jean-Paul leur chercher les menus, je suis allée retrouver Mlle N, Jack et les Shoup. Tous discutaient de M. Falcon – ainsi que de Patrick et moi, je suppose.

Je me suis immobilisée un instant en songeant que, à nous voir réunis, personne n'aurait pu soupçonner les menaces qui planaient sur cet hôtel. Je n'avais sous les yeux que des gens heureux dînant sur une terrasse fleurie par une belle soirée de septembre. Et telle était la réalité, ai-je pensé, soudain apaisée. M. Mercier m'avait fait toucher le fond la nuit précédente, et de nouveau le matin même, mais je me sentais à présent le cœur plus léger. Je reprenais le dessus.

— Madame Laforêt ?

Je n'avais pas entendu arriver l'homme qui m'adressait la parole. Petit, trapu, rondouillard, il avait un teint pâle inhabituel chez les touristes de Saint-Tropez. Tout le monde s'est tourné vers lui, y compris M. Falcon, qui a cessé de mâchonner ses hors-d'œuvre.

— Oui ?

— Je suis Me Dumas, avocat à Paris. Je représente M. Laurent Solis.

Un silence presque palpable est tombé sur la terrasse. Ce nom nous en imposait autant que ceux d'Onassis ou Safra.

— Je dois vous informer, madame, a poursuivi l'avocat, que M. Laurent Solis vient d'entamer une action en justice contre vous concernant la propriété de l'hôtel Riviera.

Stupéfaite, je me suis saisie du document frappé de plusieurs sceaux rouges qu'il me tendait.

— Et voici ma carte, a-t-il ajouté. Au cas où vous désireriez me joindre – ce dont je ne doute pas –, vous me trouverez au Martinez. (Il m'a fixée avec insistance derrière ses lunettes à monture dorée.) Bien, je n'ai plus qu'à vous souhaiter une bonne soirée. Et bon appétit à tous.

Puis il s'est esquivé aussi silencieusement qu'il était apparu.

28

Brusquement, le dîner a pris des allures de grand conseil. On a rapproché les tables et tous mes clients se sont rassemblés autour, à l'exception de M. Falcon, parti en trombe sur sa moto. Tandis que les uns servaient le vin, les autres se perdaient en conjectures, examinaient les documents ou spéculaient sur la fortune et la réputation de Laurent Solis, ainsi que sur les motifs qui le poussaient à vouloir m'exproprier.

— Il ne s'agit pas que de votre maison, mais aussi de votre gagne-pain ! m'a assené Jerry Shoup.

— Patrick est derrière tout ça, j'en suis certaine, a fulminé Mlle N.

Parce qu'il ne connaissait pas mon mari, Jack est resté à l'écart des débats.

— La situation s'annonce plus compliquée que prévu, a-t-il néanmoins admis, ce que Red Shoup a considéré comme l'euphémisme de l'année.

J'étais encore trop sous le choc pour cuisiner, aussi Marit a-t-elle pris le relais pendant que Jean-Paul assurait le service. Une fois n'étant pas coutume, le menu a été le même pour tous ce soir-là. Je m'en suis excusée, bien sûr, mais personne ne m'en a tenu rigueur. De fait, la tablée est devenue de plus en plus joyeuse à mesure que le vin coulait à flots et que les plats se succédaient.

— Me Dumas a raison, a dit Jack lorsque la discussion a dévié sur ce qu'il convenait de faire. Votre seul moyen de découvrir ce qui se trame est de rencontrer Solis.

Le bruit courait qu'il avait fait fortune dans le commerce des armes, avant de devenir un citoyen respectable et de diriger depuis son yacht un empire constitué d'hôtels, de biens immobiliers et de puits de pétrole.

Devant mon effroi, chacun s'est proposé de m'escorter, jusqu'à ce qu'il soit décidé que seuls Mlle N et Jack s'en chargeraient. Ce dernier a alors tenté de contacter l'avocat – sans succès, si bien que nous avons ouvert une nouvelle bouteille en attendant qu'il me rappelle.

Il était presque minuit quand le téléphone a sonné. Les jeunes mariés tombaient de sommeil, Budgie avait déjà couché les garçons et les Shoup jouaient aux cartes. Nous nous sommes consultés du regard pendant que Jack allait répondre.

— Alors ? lui ai-je lancé à son retour.

— C'était Me Dumas. Nous avons rendez-vous avec Solis demain à onze heures, à bord de l'*Agamemnon*. D'après Dumas, on ne peut pas le rater : c'est le plus gros bateau présent en ce moment à Monte-Carlo.

— L'*Agamemnon*…, a commenté Mlle N d'un air pensif. Je trouve intéressant qu'un Grec ait donné à son yacht le nom d'une figure centrale de la tragédie antique. Comme vous le savez peut-être, Agamemnon était le roi de Mycènes et le commandant en chef de l'armée grecque durant la guerre de Troie. Il a capturé Cassandre, la fille de son ennemi, en a fait sa maîtresse, puis l'a ramenée chez lui, où il a été assassiné par sa femme, Clytemnestre, et l'amant de celle-ci.

Je n'avais jamais entendu parler de cette histoire, mais je me suis demandé moi aussi pourquoi Solis avait choisi de baptiser ainsi son bateau. En tout cas, il ne devait rien y avoir de bon à espérer d'un homme capable d'associer son nom à un tel personnage.

Jack m'a raccompagnée chez moi.

— Ça va aller ? s'est-il inquiété.

— Non, ai-je avoué, parce que j'avais déjà la gorge nouée à l'idée de perdre mon hôtel.

— Normal, j'éprouverais sans doute la même chose si quelqu'un venait m'annoncer que je dois quitter ma maison.

— Où est-elle, justement, votre maison ?

— À Newport, dans le Rhode Island. (Il a souri.) Vous ne vous plairiez pas là-bas, il fait trop froid.

— Pourquoi y habitez-vous, alors ?

— Ma famille a toujours vécu dans le coin, et c'est là que je construis mes bateaux.

Je me suis appuyée sur la palissade. C'était la nouvelle lune et on ne distinguait que les lueurs vertes et rouges du sloop au milieu d'une mer noire comme de l'encre.

— Newport... Vous venez d'une vieille et riche famille, j'imagine.

— Je gagne ma vie en faisant un métier qui me passionne.

— Moi aussi.

Il s'est posté à mon côté, le dos tourné à la mer.

— Vous avez toujours aimé cuisiner ? m'a-t-il interrogée.

— Depuis toute petite. C'est mon père qui m'a appris. (J'ai ri devant sa mine étonnée.) Je sais, d'habitude, les pères n'enseignent pas la cuisine à leurs filles, et si vous aviez connu le mien, vous auriez trouvé ça encore plus étrange. C'était un homme du monde, un grand brun aux yeux bleus, très séduisant, dont les mères de mes amies tombaient systématiquement amoureuses. Et aussi mes amies, à partir du moment où elles ont été assez âgées.

— Vous étiez donc une fifille à son papa.

— Oh oui ! Quand j'étais malade, il me préparait des œufs à la coque qu'il m'apportait au lit. Je me sentais toujours mieux après... Mais tout semble si simple quand on est gosse, ai-je soupiré. On aime les gens et on profite de la vie sans se poser de questions. Quand mon père est mort, j'ai cru que je ne lui survivrais pas.

Nous nous sommes dévisagés dans la faible lueur émanant de la maison et, sans que j'aie rien anticipé, Jack a posé les mains sur mes épaules et m'a souri.

— Je suis désolé, je n'ai pas d'œufs à la coque à vous apporter pour vous consoler ce soir. On se voit demain à neuf heures ?

— D'accord.

Il a resserré un bref instant son étreinte avant de s'éloigner en direction de la plage. Je suis restée sur le pas de la porte jusqu'à ce que les lumières du sloop s'allument, puis j'ai rejoint mon lit, seule.

29

Le lendemain matin, à neuf heures, un marin vêtu d'un short blanc et d'un T-shirt sur lequel se détachait le mot AGAMEMNON en lettres bleu marine nous attendait à Saint-Tropez dans une luxueuse vedette. Enfin, luxueuse... tant qu'on ne la comparait pas avec l'*Agamemnon*.

Représentez-vous un somptueux yacht de soixante-douze mètres de long. Ajoutez-y un hélicoptère, un hydravion, une flottille de hors-bords et un équipage de cinquante hommes – parmi lesquels plusieurs chefs cuisiniers qui assuraient un service permanent –, et vous aurez une idée de ce à quoi ressemblait ce véritable navire de croisière.

Je ne regrettais pas les efforts de toilette que j'avais déployés pour me donner une allure sérieuse : jupe en coton blanc, chemisier jaune et espadrilles. J'avais aussi ramené mes cheveux en arrière avec un peigne en écaille et je portais des lunettes de soleil, au cas où l'émotion m'aurait gagnée. Mlle Nightingale arborait quant à elle sa robe bleue et Jack son short habituel, ses mocassins et une chemise en lin froissée. Nous avions l'air de touristes professionnels, tous les trois.

— Un vrai Carlton des mers, a sifflé Jack à mesure que la coque étincelante de blancheur de l'*Agamemnon* grandissait devant nous.

Un autre marin nous a aidés à gravir les marches d'accès à ce paradis flottant, dont mon intuition me soufflait qu'il risquait en réalité de s'apparenter davantage à un enfer. Puis un steward nous a guidés le long d'un couloir recouvert de moquette bleu marine et, après avoir monté un somptueux escalier en acajou, nous a introduits dans le grand salon. Par principe, nous avons refusé les rafraîchissements qu'il nous proposait. Il n'était pas question de se laisser séduire par l'ennemi. L'homme nous a alors informés que M. Solis serait bientôt là et nous a priés de patienter dans cette énorme pièce remplie d'œuvres d'art.

Les fenêtres panoramiques y offraient une vue splendide sur Monte-Carlo. Moi qui n'avais encore jamais admiré la ville et ses routes de corniche sinueuses sous cet angle, j'ai été frappée de constater à quel point ce paysage paraissait verdoyant.

Mon regard s'est ensuite promené sur les tables en marqueterie, les fauteuils de cuir beige, les larges canapés, les tableaux de maîtres et les sculptures – dont une, énorme et colorée, d'une danseuse signée Niki de Saint Phalle. Partout autour ce n'étaient que miroirs vénitiens anciens et bibelots d'une valeur inestimable. La peur s'est emparée de moi. Je ne pouvais lutter à armes égales contre quelqu'un d'aussi riche. Pour une raison que j'ignorais, Solis voulait mon hôtel, et je ne doutais plus maintenant qu'il l'obtienne – comme tout ce dont il avait envie. La question qui se posait était ce qui le motivait.

Jack m'a désigné la danseuse de Niki de Saint Phalle.

— N'oubliez pas, rien n'est joué tant que cette grosse mémère n'aura pas chanté.

Je n'ai pu retenir un éclat de rire, juste au moment où Laurent Solis entrait dans le salon. Son étonnement devant notre bonne humeur a vite cédé la place à un sourire accueillant et il s'est avancé vers nous en nous tendant les bras. L'air plus âgé que sur ses photos, ce géant aux cheveux argentés et au costume de lin blanc impeccable n'a toutefois pas daigné ôter ses lunettes de soleil.

— Bienvenue, bienvenue à bord de l'*Agamemnon* !

Une blonde superbe et assez jeune pour être sa petite-fille le suivait un peu en retrait. Juchée sur une paire de mules jaunes aux talons vertigineux, elle portait un bikini assorti, un sarong vert tilleul et des diamants à ne plus savoir qu'en faire – à ses oreilles, autour du cou, à son poignet et à trois de ses doigts. J'ai jeté un coup d'œil à Mlle Nightingale afin de guetter sa réaction, mais elle est demeurée impassible et, toujours impériale, a juste incliné la tête en réponse au salut de Laurent Solis.

— Voici ma femme, Evguenia, nous a précisé ce dernier.

Sans un mot, celle-ci a pris place sur l'un des fauteuils derrière son mari et s'est allumé une Gitane.

Solis m'a tout de suite choisie pour victime.

— Madame Laforêt, a-t-il dit en saisissant ma main entre les siennes. Je suis ravi de faire votre connaissance – à ma grande surprise, j'aurais juré qu'il était sincère. Quel dommage que cela ait lieu dans des circonstances si... fâcheuses. Oui, très fâcheuses.

J'ai recouvré ma voix et lui ai présenté Mlle Nightingale, qu'il a gratifiée d'un baisemain révérencieux, comme il l'aurait fait pour une reine.

— Et voici M. Farrar, ai-je ajouté. Un ami.

Solis lui a serré la main avant de nous inviter à nous asseoir sur un canapé où nous nous sommes alignés tels des canards dans un stand de tir, éblouis par la lumière du soleil qui donnait en plein sur les vitres. Notre hôte s'est pour sa part installé en face, à contre-jour, ce qui lui permettait à la fois de mieux distinguer nos expressions et de nous cacher les siennes.

— Tout d'abord, a-t-il commencé, vous êtes sûrs que vous ne voulez rien boire ? Il fait une telle chaleur aujourd'hui. Evguenia, a-t-il lancé par-dessus son épaule, appelle Manolo et demande-lui d'apporter des boissons fraîches. Et aussi des baklavas. À moins que vous ne préfériez autre chose ? Du vin ? Du champagne ? Un bourbon ?

Evguenia a relayé son ordre par téléphone, puis tiré une nouvelle bouffée de sa Gitane. Pendant tout ce temps, j'ai senti le regard de Solis rivé sur moi derrière ses verres fumés.

— J'aimerais vous raconter l'histoire de ma vie, madame Laforêt, afin que vous compreniez pourquoi je suis devenu l'homme d'affaires que je suis. Je ne me trouverais pas là aujourd'hui si elle avait été autre. Ni vous non plus.

Il s'est interrompu pour indiquer à Manolo de poser son plateau sur une table à côté de lui. Son serviteur était apparu si vite que je l'ai soupçonné d'avoir été posté derrière la porte avec ses rafraîchissements.

— Mademoiselle Nightingale ? s'est enquis Solis. Devant son refus, il a insisté : Un peu de baklavas, alors ? Je vous avoue que c'est mon point faible – mon péché mortel, pourrait-on dire.

Manolo, resté au garde-à-vous, s'est emparé de pinces en argent afin de servir une part de gâteau à Mlle N, avant de faire de même pour Jack et moi. Parce que son patron s'abstenait d'en prendre, cependant, nous n'y avons pas touché.

— De l'eau pour tout le monde ! a ensuite réclamé Solis. Je vais vous faire une confidence : je ne me suis guère régalé de sucreries dans ma jeunesse. Oh, non ! J'ai attendu des années avant de pouvoir avaler autre chose que du pain, du couscous ou du riz. J'étais un orphelin du tiers-monde à une époque où cette expression n'existait pas encore, et je vivais seul dans la pauvreté et l'ignorance. Une position qui n'a rien d'enviable, n'est-ce pas ?

Derrière lui, Evguenia a fermé les yeux comme si elle éprouvait la douleur passée de son mari.

— La misère est la même partout, a continué Solis. Athènes, Rio, Caracas... on dort dehors, on mange ce qu'on arrive à voler, on se débrouille tant bien que mal – et quand on en est incapable, on crève dans la rue. La vie peut être courte et la mort douce pour les sans-abri. (Il a marqué une pause.) Mais, vous pouvez le constater, mon histoire se termine bien, même si j'ai eu mon lot de souffrances. Commençons donc par le début.

30

— J'avais six ans quand ma mère a été écrasée par un camion. Ç'a été ma première leçon : *la vie n'a aucune valeur*. Ma mère ne comptait pour rien. Elle a été enterrée au bord de cette route abandonnée, je ne sais même pas où exactement.

Mon choc a dû être visible parce que toute son attention s'est fixée sur moi.

— Nous habitions au Maroc à l'époque, mais mon père était grec et il m'a ramené à Athènes. Nous étions pauvres, ainsi que je vous l'ai dit... encore que vous ne puissiez pas imaginer ce que c'est que de vivre dans le dénuement le plus total. Il faut avoir connu cette situation pour la comprendre.

Il a ouvert les bras pour englober son salon, ses trésors, sa superbe femme et son incroyable bateau.

— Vous vous arrêtez aux apparences, comme la plupart des gens, hélas ! Ils ne voient que mes richesses, et cela seul les intéresse.

— Comptez-vous nous donner une autre raison de nous intéresser à vous, monsieur Solis ? l'a interrompu Mlle N d'un ton sec.

Il a poussé un long soupir qui m'a fendu le cœur.

— Je doute que ce soit possible durant le court moment que je passerai en votre compagnie, mademoiselle Nightingale, mais je m'y efforcerai.

J'ai examiné Jack du coin de l'œil. Les bras croisés, il n'exprimait aucune émotion. Moi seule semblais touchée par ce récit poignant. Quoique... Non, je n'étais pas la seule, car Evguenia a décroisé ses longues jambes pour se lever et venir enrouler ses bras autour du cou de son mari.

— Pauvre chéri, a-t-elle chuchoté avec un fort accent russe.

Solis lui a pris la main et l'a portée tendrement à sa joue tandis qu'elle déposait un baiser sur ses cheveux.

— Evguenia a déjà entendu tout ça, nous a-t-il expliqué.

— Mais ça me fait toujours aussi mal, a-t-elle affirmé avant de retourner à sa place.

— Peu après notre arrivée en Grèce, a repris Solis, mon père m'a abandonné. Ou peut-être est-il mort – je n'en sais rien parce que je ne l'ai jamais revu. J'ai vécu de petits boulots dans les rues du Pirée, le port d'Athènes. Coursier, porteur, grouillot – j'étais un vrai bourreau de travail, mais j'apprenais vite et j'étais certain qu'un destin plus glorieux m'attendait. Un destin que je tenais entre mes mains.

Il les a tendues vers nous : douces, manucurées, elles étaient celles d'un homme riche, sinon d'un gentleman.

— Je n'avais pas de famille et pas d'attaches dans mon pays, aussi ai-je menti sur mon âge pour me faire embaucher comme mousse sur un pétrolier. À l'époque, ces bateaux étaient bien plus petits qu'aujourd'hui. (Il s'est tu un instant, comme si ses souvenirs défilaient devant lui.) Et je suis arrivé à Marseille.

— À Marseille ? ai-je répété.

Il a alors enlevé ses lunettes et j'ai pu affronter son regard pour la première fois. Ses yeux, très noirs, dégageaient une telle impression de douceur que j'ai eu le sentiment de me perdre en eux.

— Vous allez plus vite que moi, madame Laforêt. Oui, Marseille est la clé de tout. J'étais sans le sou, mais une femme que j'avais volée parce que je n'avais pas le choix m'a aidé. Elle s'appelait Nilda Laforêt et je n'ai jamais oublié sa bonté. Au lieu de me dénoncer aux gendarmes, elle m'a donné à manger et m'a parlé comme personne jusqu'alors ne l'avait fait. Elle m'a traité en être humain.

» Bien des années plus tard, j'ai pu la payer de retour pour sa gentillesse – encore que, dans son cas, il ne s'agissait pas tant de gentillesse ou de charité que d'amour pur. Je vénérais cette femme au point que, même si je n'ai plus eu de contact avec elle par la suite, j'ai fait poser des anges en marbre sur sa tombe quand j'ai appris sa mort. (Nouvelle pause.) Patrick Laforêt était son petit-fils.

152

À ces mots, Evguenia s'est redressée et m'a toisée de la tête aux pieds. Sa beauté respirait le naturel, depuis ses cheveux blonds jusqu'à ses seins effrontés et son teint hâlé.

— Tu es si généreux, mon chéri, a-t-elle soufflé à l'oreille de Solis, assez fort pour que nous puissions l'entendre.

Puis elle s'est approchée de la fenêtre et s'est absorbée dans la contemplation du paysage.

— Patrick Laforêt était un joueur invétéré, a enchaîné Solis. Il croulait déjà sous les dettes quand vous l'avez rencontré à Las Vegas. Certes, les casinos lui avaient accordé un gros crédit, si bien qu'il n'a eu aucun souci durant quelque temps. Seulement, le jeu ressemble à l'amour : tantôt on gagne, tantôt on perd. Patrick était à sec lorsqu'il m'a supplié de lui prêter de quoi faire patienter ses créanciers. (À ce stade, Solis m'a décoché un sourire.) Je n'ai pas besoin de vous apprendre que ces gens-là sont sans pitié en affaires... Patrick se trouvait dans une impasse et il n'avait que son hôtel à m'offrir en garantie. Je lui ai donc avancé l'argent dont il avait besoin et dont il s'est servi, je suppose, pour rembourser ce qu'il devait. L'ennui, c'est qu'il n'a pas honoré sa dette envers moi. Voilà donc, madame Laforêt, pourquoi l'hôtel Riviera m'appartient aujourd'hui.

— C'est impossible ! s'est interposé Jack. En tant qu'épouse de Patrick, Mme Laforêt est copropriétaire de l'hôtel.

Solis a secoué la tête.

153

— Patrick a signé la reconnaissance de dette avant son mariage.

Abasourdie, je n'ai tout à coup plus été sensible au charme de cet homme. Solis ne m'avait déroulé le récit de son ascension et de ses actes de générosité que pour mieux me porter ce coup fatal.

— Monsieur Solis, pourquoi au juste voulez-vous l'hôtel Riviera ? l'a interrogé Mlle N.

— La réponse est évidente, mademoiselle Nightingale, et c'est la seule raison qui a permis à Patrick de m'emprunter de l'argent. On trouve peu de terrains non aménagés donnant directement sur la mer dans la région. Mme Laforêt l'ignore sans doute, mais ceux qui entourent l'hôtel font partie de la propriété. Patrick disposait là d'un précieux pécule. Quel dommage pour lui qu'il l'ait dilapidé... Enfin, a-t-il conclu, les joueurs ne savent jamais s'arrêter à temps. Et qui plus est, ils s'en moquent. Le jeu seul compte pour eux.

Comme par magie, Me Dumas a soudain surgi à ses côtés. Je n'avais même pas eu conscience de sa présence dans la pièce. Evguenia se tenait quant à elle toujours près de la fenêtre, sa cigarette dans une main et dans l'autre un cendrier où elle faisait tomber ses cendres avec nervosité.

— Evguenia, tu ne peux pas aller fumer ailleurs ? lui a lancé Solis. Ce n'est pas bon pour les tableaux.

— Monsieur ? l'a interrompu l'avocat, qui attendait ses instructions.

— Montrez-leur les documents, Dumas.

— Tout de suite, monsieur.

Et tandis qu'Evguenia écrasait son mégot, Dumas s'est avancé vers moi pour me tendre une copie du contrat par lequel Patrick s'engageait à céder l'hôtel Riviera au Consortium Solis. Il datait de six mois avant mon mariage et la signature ne laissait aucun doute sur son authenticité.

— C'est bien son écriture ? m'a demandé Jack.

Je le lui ai confirmé, soudain contente de n'avoir touché à rien de ce que nous avait offert Solis.

— Vous me détestez maintenant à cause d'une transaction qui a tourné en ma faveur, a déclaré celui-ci. Mais permettez-moi de vous rappeler que les choses auraient pu se dérouler autrement. Patrick aurait pu avoir plus de chance au jeu, honorer ses dettes, et ses erreurs lui auraient été pardonnées. C'est lui que vous devez blâmer, madame Laforêt, pas moi. Et sachez aussi que je ne lui ai sauvé la mise que parce qu'il était le petit-fils de Nilda Laforêt.

J'ai rassemblé mes forces pour me lever et lisser ma jupe froissée.

— Je vais faire examiner ces documents par mes avocats, monsieur Solis, lui ai-je annoncé.

— Ils constateront qu'ils sont en règle, je puis vous l'assurer.

Mlle N a agrippé son sac à main et remonté ses lunettes sur son nez. Solide comme un roc. La morale incarnée.

— Et que pense Mme Solis de tout ça ? s'est-elle enquise.

Evguenia s'est arrachée à sa contemplation de Monte-Carlo pour poser sur elle un regard triste.

— C'est très simple, a répondu Solis. Je lui fais cadeau de l'hôtel. Elle en disposera à sa guise.

La jeune femme lui a adressé un sourire ravageur, avant de s'appuyer le dos à la fenêtre et de fixer le plafond en silence. Puis Manolo a de nouveau surgi de nulle part. Notre entretien avec Laurent Solis était terminé. Notre hôte ne s'est toutefois pas levé, pas plus qu'il ne nous a dit au revoir. Je me suis tournée vers lui une dernière fois en sortant : toujours assis dans son fauteuil, il avait les yeux rivés sur Evguenia. Je n'ai pas distingué son visage dans le contre-jour, mais l'expression qui se lisait sur celui de sa femme ne m'a pas échappé. Elle irradiait le bonheur.

31

Installés à la terrasse d'un petit café, à Antibes, nous sommes revenus sur notre conversation avec Laurent Solis.

— Ma chère, vous avez deviné quel était le cœur du problème, n'est-ce pas ? m'a demandé Mlle N.

— Quoi ?

— Le sexe, évidemment ! On dit toujours qu'il faut chercher la femme. Dans le cas présent, je crois que nous l'avons trouvée.

— Evguenia, a complété Jack. Bon sang, je me souviens où j'ai vu Falcon maintenant ! C'était aux Caves du Roy. Il servait de garde du corps à Evguenia et empêchait tout le monde de l'approcher. Même le personnel avait du mal à franchir son barrage.

— Vous l'avez donc remarquée elle aussi.

— Bien sûr. Elle ne passe déjà pas inaperçue dans la rue, alors vous imaginez dans une boîte de nuit où elle dansait sur les tables !

— Très intéressant, a commenté Mlle N, la mine songeuse.

— Elle doit être folle, ai-je observé.

— Non, je ne pense pas, ma chère. Elle a juste compris comment mener Solis par le bout du nez. Elle joue de sa beauté... lui de son argent.

— En attendant, elle veut ma maison et elle a réussi à l'obtenir. Elle projette sûrement de la faire abattre pour construire une énorme villa à la place, avec une piste d'atterrissage pour son hélicoptère et des nuées de domestiques qui feront le service dans ses soirées pendant que madame se déhanchera devant ses admirateurs.

— Bien envoyé, a approuvé Jack.

— Je n'exagère même pas, j'en suis certaine.

— Moi aussi, a acquiescé Mlle N. Mais il y a autre chose derrière cette histoire, je le sens.

— Ce que je sens, moi, c'est que Lola est dans le pétrin ! s'est écrié Jack.

J'ai contemplé ma boisson sans réagir. Je n'avais plus que la conscience aiguë d'avoir perdu mon hôtel, mon vrai chez-moi, et tout ça à cause de Patrick et de son goût pour le jeu.

— Il faut qu'on contacte le père du jeune Oldroyd, à Avignon, a décidé Mlle N. Il nous conseillera, lui.

Jack s'est penché pour me saisir la main.

— Je peux m'avancer avec certitude sur au moins un point, Lola : les questions juridiques ne se règlent pas du jour au lendemain en France, surtout en ce qui concerne les biens immobiliers. Le Code Napoléon y veille. Les procédures administratives s'étalent sur des années et rien n'est acquis d'avance, même quand on dispose d'une grosse fortune. Nous aurons le temps de chercher une solution.

J'ai apprécié qu'il s'associe à moi à travers ce « nous » et, bien que peu convaincue, je lui ai pressé la main pour le remercier. Il a ensuite payé l'addition et nous sommes rentrés en voiture à l'hôtel, que nous avons trouvé désert. Chacun a alors regagné ses quartiers : pendant que Mlle N se retirait dans sa chambre afin de réfléchir au calme, Jack a rejoint son bateau et moi ma maison.

— Merci, lui ai-je dit alors que nous longions le sentier ensemble.

— Pour quoi ? Je ne vous ai pas beaucoup aidée jusqu'à maintenant.

— Vous avez essayé. C'est ce qui compte.

Il m'a tournée vers lui.

— Écoutez, j'avais vraiment envie de le faire. Un homme ne devrait pas laisser sa femme seule face à de tels problèmes. Ce n'est pas normal.

— Rien n'était normal entre Patrick et moi depuis longtemps. Ainsi va la vie, voilà tout.

Nous sommes restés immobiles quelques secondes, les yeux dans les yeux.

— Je ne vous ai pas menti au sujet de la bureaucratie française, m'a-t-il assuré. Elle mettra des années avant de statuer sur ce dossier. On ne vous jettera pas à la rue de sitôt.

— C'est vrai, ai-je opiné.

À cet instant, il a baissé la tête pour m'embrasser.

Ses lèvres étaient chaudes, fermes, douces, et pourtant ce baiser ne scellait rien d'autre que la rencontre entre deux personnes susceptibles de s'attacher l'une à l'autre. Comme une sorte de préliminaire dans le jeu de la séduction. Je n'ai pas cherché à analyser pourquoi j'appréciais cet homme, ni pourquoi lui m'appréciait. Simplement, je sentais une petite étincelle entre nous.

— Allez vous reposer, m'a-t-il conseillé. Je vous reverrai au dîner.

Je l'ai observé pendant qu'il descendait les marches menant à la jetée. Sans un regard en arrière, il a fendu les eaux turquoise de la crique sur son canot.

J'ai mis mes clients au courant des dernières nouvelles au moment de l'apéritif ce soir-là, sans omettre de préciser que Falcon était le garde du corps d'Evguenia et qu'il travaillait de toute évidence pour Solis.

— Que fait-il ici ? s'est étonnée Red.

— Il doit me surveiller – moi, ou plutôt la propriété d'Evguenia. Vous avez remarqué sa manie de se promener partout en prenant des notes ?

— Il a vidé les lieux cet après-midi, a annoncé Mlle N. J'étais sur mon balcon quand il est parti en trombe avec sa valise. J'espère qu'il a réglé sa note, au moins ?

Je l'ai fixée, bouche bée. J'ignorais tout du départ de Falcon.

— Nadine a dû s'en occuper, ai-je répondu.

— Et si ce type avait été là pour enquêter sur Patrick ? a lancé Jack à la stupéfaction générale. Il a pu s'imaginer que vous saviez où il se trouvait. J'ai découvert aujourd'hui qu'il est très difficile en France de mener à bien une transaction immobilière en l'absence de toutes les parties concernées. Or, un homme ne peut être supposé mort dans ce pays avant que dix années se soient écoulées à compter de sa disparition. Voilà qui devrait contrecarrer les beaux projets de M. Solis.

— Dix ans, ai-je murmuré.

— Dix ans pendant lesquels vous serez mieux sans lui ! a décrété Red.

J'ai éclaté de rire. Nom d'un chien, elle a bien raison, ai-je pensé en servant une nouvelle tournée de rosé. Au même instant, mon regard a croisé celui de Jack. Ses yeux me souriaient.

— Je vais appeler mon père, a décidé M. Lune-de-Miel.

Il a aussitôt lâché les épaules de son épouse, laquelle a levé vers lui un visage rayonnant d'amour. Je me suis sentie fondre à leur vue. Ah, être aussi jeune, aussi épris... et avoir toute la vie devant soi en n'ayant commis aucune de mes erreurs !

— Bien, me suis-je ressaisie. Ce soir, je vous propose en entrée des fleurs de courgette fourrées aux crevettes, de la soupe au pistou, ou une terrine de légumes. Ensuite, vous avez le choix entre une fricassée de pintade avec des pâtes maison, du mouton accompagné d'un gratin de pommes de terre et du rouget grillé aux fines herbes. Oh, sans oublier les moules marinière. Quant au dessert, en plus des

161

sorbets habituels, nous avons du nougat glacé au coulis de framboises et un gâteau au chocolat que j'ai préparé cet après-midi.

Des cris de joie ont accueilli cet exposé, juste au moment où M. Lune-de-Miel revenait m'informer que son père acceptait de m'épauler et qu'il me téléphonerait le lendemain pour avoir tous les détails de l'affaire.

Je l'ai de nouveau remercié avant de prendre les commandes et de disparaître en cuisine. Déjà nichée dans son pot, la tête enfouie sous son aile, Scramble dormait, insoucieuse, ne sachant pas qu'elle n'aurait bientôt plus de toit.

J'ai songé alors que mes clients seraient tous partis le week-end suivant. Plus que quelques jours, et je me retrouverais seule dans ce petit paradis qui ne m'appartenait plus.

32

Il était minuit lorsque, telle Cendrillon, je suis rentrée chez moi. J'avais souhaité une bonne nuit à tout le monde une heure plus tôt, mais je m'étais ensuite attardée pour nettoyer la cuisine avec Jean-Paul et passer en revue le menu du lendemain avec Marit. En fait, je n'avais pas envie d'affronter ma solitude.

Je m'interrogeais sur ce que faisait Jack quand j'ai constaté que son bateau était toujours amarré au ponton. Lui m'attendait devant ma maison, assis sur le canapé en rotin de la galerie, une jambe croisée par-dessus l'autre.

— Je me disais bien que vous finiriez par aller vous coucher, a-t-il plaisanté.

J'ai deviné son sourire dans l'obscurité et senti mon cœur faire ce petit bond synonyme pour moi de pépins. Arrête, me suis-je morigénée. Cet homme n'est rien pour toi, et vice-versa. C'est un ami, point barre. Un ami qui essaie de t'aider.

— Eh bien, me voilà ! ai-je répondu en m'affais-sant à côté de lui.

— Ça va ?

— Je crois, oui. Merci de poser la question.

— Y a pas de quoi.

En silence, nous avons écouté le doux bruit des vagues qui se brisaient sur le rivage.

— J'ai parlé à cet ami inspecteur à Marseille, a-t-il enchaîné. La police scientifique n'a rien trouvé dans la Porsche, en dehors des empreintes digitales, qui appartenaient toutes à Patrick.

— Merci, ai-je répété, soulagée qu'il n'y ait pas eu de traces de sang.

— Vous êtes un vrai cordon-bleu, vous savez ? a-t-il lancé pour changer de sujet de conversation.

— C'est mon boulot.

— Peut-être, mais certains cuisiniers détestent leur travail. Vous, vous y mettez de l'amour.

— Il faut bien en dispenser un peu autour de soi, ai-je répondu avec désinvolture, sans réussir à le faire rire. Puisque vous estimez que je suis un vrai cordon-bleu – et pour votre information, le terme exact est *chef* –, que diriez-vous de dîner avec moi demain ? lui ai-je proposé sur un coup de tête. C'est mon soir de repos, on pourrait manger ici.

Je n'ai pas ajouté *seuls*, tant ce mot revenait souvent dans mon vocabulaire depuis peu, mais il a compris le sous-entendu.

— Avec plaisir, a-t-il acquiescé en même temps qu'il se redressait. Vous tiendrez le coup en atten-dant ?

— Oui.

— Rendez-vous à quelle heure, alors ?

— Neuf heures, ça vous va ?

— D'accord.

Debout l'un en face de l'autre, nous n'avons pas esquissé un geste, jusqu'à ce qu'il lève la tête vers les étoiles.

— Quelle belle nuit, s'est-il extasié.

— Le ciel est-il le même vu de votre bateau ?

— Il est encore plus magnifique.

— Tout est mieux en mer, je suppose.

— Non, pas tout, a-t-il répliqué en attrapant ma main.

J'ai senti comme un courant circuler dans nos doigts entremêlés. Puis il s'est tourné vers moi.

— Lola ?

Et il s'est incliné afin de me baiser la main. Ce geste était si délicat, si élégant, et en même temps si érotique que je n'ai opposé aucune résistance quand il m'a prise par le cou pour m'attirer vers lui.

Si les yeux sont le miroir de l'âme, comme le prétendent certains, alors les lèvres marquent le premier lien magique entre deux êtres. Quand celui-ci a été établi, chacun se livre à l'autre corps et âme. Le premier baiser que j'ai reçu de Jack Farrar n'a ressemblé à rien de ce que j'avais connu auparavant. Je souhaitais me fondre en lui, ne faire plus qu'un avec lui. En un éclair, j'ai abandonné toute retenue. Je n'étais plus la femme bafouée de Patrick, mais une femme, tout simplement, et même si ce n'était que pour une nuit, Jack Farrar était à moi.

Il s'est détaché au bout d'un long moment et nous sommes restés enlacés, tremblants de désir.

165

— Encore, ai-je réclamé – à quoi il m'a répondu, amusé, que j'avais devancé sa pensée.

Puis, sans me laisser le temps de réagir, il m'a soulevée dans ses bras pour franchir le seuil de la maison et me porter dans ma chambre.

— Pas question de faire ça n'importe comment avec toi, a-t-il déclaré.

J'ai souri parce qu'il s'agissait d'un moment heureux. L'un des plus heureux de ma vie.

— Viens là, l'ai-je appelé en m'allongeant sur mon lit, telle une vraie Jézabel.

Il a ri et s'est déshabillé devant moi. De près – de plus en plus près, même –, le spectacle surpassait celui que j'avais admiré à travers la lunette de mon télescope.

— Rien de nouveau pour toi, a-t-il plaisanté. Moi, par contre, je ne connais encore aucun de tes secrets.

— Je compte bien te les dévoiler, ai-je rétorqué en lui mordillant l'oreille.

— Tu es superbe, Lola. Si superbe… Laisse-moi…, a-t-il murmuré, tandis que ses lèvres entreprenaient d'explorer mon corps.

Submergée par des vagues de plaisir, je n'ai pu retenir un frisson.

— Quel délice, ai-je soufflé. Tu es l'homme le plus exquis…

Mais il m'a bâillonnée d'un baiser et m'a fait l'amour, encore et encore, jusqu'à me mener à l'extase. Toute la nuit durant, mon grand lit a oscillé au rythme de nos ébats. Plus rien d'autre n'avait d'importance.

Ce sont les plaintes de Sale Chien derrière la porte de ma chambre qui nous ont réveillés à l'aube. Je me suis tournée vers Jack.

— Bonjour, lui ai-je dit doucement.

— Ça boume ?

Nous nous sommes levés après nous être embrassés dans un éclat de rire. Il fallait que je me prépare en vue de ma journée de travail et que Jack regagne son bateau afin d'éviter qu'un éventuel client matinal s'aperçoive de sa présence chez moi. Avant de partir, il m'a saisie par le menton et a planté un dernier baiser sur ma bouche.

Je l'ai regardé s'éloigner en souriant jusqu'aux oreilles.

33

Avec en tête le souvenir vivace de notre nuit, je me sentais aussi excitée qu'une adolescente avant son premier bal. Ce soir, ai-je décidé, il faut que tout soit parfait, y compris moi.

J'ai inspecté la table pour la dixième fois, lissé la nappe et replié les serviettes. J'ai rectifié la position des assiettes et des couverts, redonné un coup de chiffon sur les verres à pied, réarrangé le bouquet de marguerites blanches. Mécontente du résultat, j'ai couru échanger mon vase en cristal contre un cruchon jaune. L'envie me démangeait d'allumer les bougies, mais, parce qu'il était trop tôt, je les ai juste réparties sur le manteau de la cheminée et sur la table basse.

Une fois chaque chose à sa place, j'ai foncé à l'hôtel. Le restaurant était fermé et le personnel avait congé ce soir-là, ce qui signifiait que j'avais la cuisine pour moi toute seule. Je l'ai balayée du regard. C'était encore *ma* cuisine, aussi ai-je résolu de laisser mes problèmes de côté pour le moment. Et puis, ce jour-là sortait de l'ordinaire, car je ne recevais ni plus ni moins que mon amant à dîner. J'ai donc empilé ce dont j'avais besoin dans deux paniers que j'ai rapportés chez moi et j'ai posé les plats sur le bar, prêts à être servis.

Venait ensuite l'heure du bain : après y avoir versé des huiles essentielles, je m'y suis longuement prélassée, en proie à mille pensées lubriques indignes d'une « dame ». J'ai heureusement fini par me ressaisir et, attrapant le pommeau de la douche, je me suis aspergée d'eau froide aussi longtemps que j'ai pu le supporter.

Grelottante, je me suis séchée, hydratée, poudrée, parfumée, jusqu'à ce que, de retour dans ma chambre, je surprenne mon reflet dans le miroir. Je me suis figée net : marques de bronzage et chair de poule mises à part, je me trouvais tout à coup un éclat inhabituel. Mes doigts ont effleuré mes seins encore fermes, mon ventre un peu trop rond – mais ne suis-je pas chef ? –, mes cuisses musclées, avant de se perdre dans les boucles de mon entrejambe. Le rose aux joues, je me suis soudain vue aussi rayonnante que la flamme d'une bougie, et j'ai ressenti le même émoi que la nuit précédente.

Un peu honteuse, j'ai ajusté ma lingerie. J'avais choisi un ensemble crème, parce que le noir me semble trop proclamer « Hé, je suis à toi ! » et que, même si c'était le cas, je n'avais pas envie de l'afficher. Mon soutien-gorge faisait l'effet d'une caresse sur ma peau, et j'ai poussé un soupir de contentement. Fallait-il y voir la conséquence d'une nuit de plaisir ? Étais-je en train de tomber amoureuse ? Pour l'heure, je n'avais qu'une certitude : Jack Farrar représentait ce qui m'était arrivé de mieux depuis très, très longtemps.

J'ai enfilé la robe abricot que j'avais failli porter deux jours plus tôt. Elle dansait toujours de façon charmante au niveau de mes genoux, surtout quand je mettais mes espadrilles. De grosses créoles en or et un bracelet de perles acheté au marché de Saint-Tropez ont complété ma tenue, et j'ai passé les mains dans mes cheveux pour les ébouriffer. Voilà, j'étais prête.

Je me suis postée sur le perron jusqu'à ce que j'aperçoive le canot de Jack se diriger vers la plage, puis je suis rentrée allumer les bougies.

34

Jack

À neuf heures pile, Jack longea le sentier menant à la maison de Lola, un bouquet de fleurs à la main. Il trouva la porte ouverte et s'attendit presque à voir Scramble monter la garde à proximité.

— Tu as intérêt à bien te tenir, lança-t-il à son chien, qui accourait avec un sourire idiot.

Il écarta ensuite le rideau de perles et découvrit Lola qui l'examinait, vêtue d'une petite robe aguichante et de drôles d'espadrilles nouées par des rubans autour de ses fines chevilles.

— Désolé, j'aurais dû faire un effort vestimentaire, s'excusa-t-il en contemplant son pantalon froissé, ses vieux mocassins et sa chemise en jean dont il ne se serait séparé pour rien au monde.

— Tu es... à croquer !

— Tu rapportes toujours tout à la nourriture ?

— En ce qui te concerne, oui.

— Je peux en dire autant de toi, répondit-il après l'avoir considérée à son tour de la tête aux pieds.

Lola s'avança vers lui pour se blottir dans ses bras. Elle était si séduisante et si vulnérable, songea-t-il en l'embrassant, qu'il en eut presque l'estomac noué.

— J'ai bien cru que tu détestais ma robe, murmura-t-elle.

— Au contraire, je l'adore.

Au même instant, Sale Chien déboula près d'eux et manqua les renverser. Jack fit mine de lui envoyer un coup de pied au derrière.

— Navré, c'est un chien des rues. Je n'ai jamais réussi à lui enseigner les bonnes manières.

— Hé, bonhomme, viens par ici, l'appela Lola.

Sale Chien s'exécuta aussitôt, et Jack observa la jeune femme enrouler ses bras autour du cou de l'animal – lequel la fixa avec sa mine attendrissante de brave toutou, avant de lui enlever d'un coup de langue une partie de son maquillage. Lola éclata de rire. C'est alors que Sale Chien repéra Scramble, qui, perchée au sommet de l'armoire, le fixait sans ciller. Il ne tarda pas à pousser un cri plaintif et s'éclipsa d'un air penaud, la queue entre les jambes.

— Pendant ce temps..., commença Jack en offrant ses fleurs à Lola.

— Pendant ce temps...

Elle le dévisagea sous ses longs cils. Puis le bouquet atterrit par terre, et tous deux ne pensèrent plus qu'à s'embrasser et à s'avouer combien ils avaient attendu ce moment.

— Que fait-on du dîner ? l'interrogea Lola lorsqu'ils reprirent leur souffle.

— Quel dîner ? rétorqua Jack, qui s'empara de nouveau de ses lèvres, avant d'ajouter : Lola, tu es sûre de toi ?

— Oui, tout à fait, chuchota-t-elle d'une voix douce.

35

Lola

Avez-vous déjà eu l'impression de fusionner avec un homme au point de ne plus être certaine d'exister, si ce n'est en tant que partie de lui ? Voilà ce que j'ai éprouvé la deuxième nuit que Jack et moi avons fait l'amour.

Sous ses doigts, je me suis sentie aussi délicate que de la porcelaine. J'étais Cendrillon au moment où elle devient princesse. J'étais une comète dans le ciel, à des années-lumière de l'ingénue d'Encino, Californie. J'étais une femme à part entière, et j'adorais ça.

— Je savais à quoi tu ressemblerais, l'ai-je taquiné.

Étirée contre lui, je caressais son ventre, sa joue, son cou, tout ce que je parvenais à toucher. J'aimais le contact de sa peau, les poils dorés par le soleil sur son torse et ses rudes mains de marin.

— C'est parce que tu m'avais déjà vu, a-t-il répliqué en me mordillant les lèvres pour me faire taire et mieux pouvoir m'embrasser.

— Je m'en serais doutée, de toute façon.

— Pas moi, en revanche. Tu es une surprise totale.

— Une surprise agréable, au moins ?

— La meilleure.

Il m'a allongée sous lui et sa bouche s'est aventurée le long de mon corps. Il m'a respirée, il m'a caressée avec ses doigts, avec sa langue. Cambrée contre lui, je me suis de nouveau fait l'effet d'une étoile parmi les étoiles, et j'ai oublié la réalité quand il m'a pénétrée.

— Ma douce Lola, a-t-il murmuré alors que, tremblants tous les deux, nous parvenions au délicieux gouffre de l'extase.

Plus tard, il a roulé à mon côté et je suis restée immobile, accrochée à sa main, sans plus la moindre notion de l'endroit où j'étais. Je savais juste que je faisais l'amour en France, par une belle nuit d'été, avec le vent de la mer qui soufflait par la fenêtre et mon amant qui soupirait de joie près de moi.

Lost in France in Love. Le souvenir de cette vieille chanson m'est revenu et j'en ai fredonné les premières notes, plus ravie qu'une enfant à qui on aurait offert une glace. Ou plutôt que Sale Chien, en l'occurrence, qui devait déjà avoir englouti notre repas.

Je me suis redressée en sursaut, paniquée à l'idée d'avoir laissé les plats sur le bar de la cuisine, et j'ai couru constater les dégâts. Sale Chien se léchait les babines sans paraître éprouver le moindre remords.

— Goinfre ! me suis-je écriée en tapant du pied.

Jack m'a rejointe et a contemplé lui aussi les reliefs de mes hors-d'œuvre, les os rongés des côtelettes d'agneau, la tache de graisse au milieu des feuilles de châtaignier – seul vestige de mon fromage de chèvre – et les miettes de crackers.

— Bon Dieu, a-t-il grommelé, avant de le flanquer dehors.

Nous l'avons entendu renifler le bas de la porte, puis pousser un cri plaintif et s'affaisser contre le battant avec un bruit sourd.

— Bien fait pour lui, ai-je grondé.

Jack n'a pu s'empêcher de rire devant ma mine furibonde. Je lui ai décoché un regard noir, mais il était nu, superbe, et j'appréciais tant la manière dont il me lorgnait que ma mauvaise humeur n'a pas duré.

— J'ai déjà eu mon dessert, de toute façon, m'a-t-il consolée en m'attirant vers lui.

Nous sommes restés un long moment enlacés, jusqu'à ce que j'endosse mon éternel rôle de parfaite maîtresse de maison :

— J'ai du parmesan et du pain…

— Lola, a-t-il grogné, tu ne penses vraiment qu'à manger ?

— Oui, surtout quand j'ai quelqu'un d'affamé sur les bras.

Je l'ai pris par la main pour le ramener dans ma chambre, mais, contrairement à ce qu'il s'imaginait, je lui ai juste tendu un peignoir en coton semblable à ceux que nous fournissons à nos clients. J'en ai enfilé un moi aussi et suis ensuite retournée dans la cuisine sortir le champagne du frigo et poser une miche de pain sur une planche à découper, avec une part de parmesan, des couteaux, du beurre et des assiettes.

Une fois le tout disposé sur la table basse du salon, je me suis figée, les poings sur les hanches. Nous avions l'air d'un vrai couple tous les deux. J'ai d'ailleurs failli faire remarquer à Jack combien il semblait chez lui quand je l'ai vu ouvrir la bouteille de champagne – mais je me suis ravisée. Nous avons trinqué à notre santé et bu nos coupes en nous dévorant des yeux.

— Tu dois avoir faim, non ? lui ai-je demandé.

Il a acquiescé et, sans nous soucier de la table dont j'avais tant soigné la présentation, nous nous sommes installés par terre sur le tapis.

— Rien ne vaut une coupe de champagne après l'amour, m'a affirmé Jack, si ce n'est une tranche de pain avec du fromage.

— Estime-toi heureux que ton chien ne l'ait pas avalé, ai-je répondu, la bouche pleine. Et le meilleur est à venir : j'ai gardé la salade de homard dans le frigo. Tu ne mourras pas d'inanition finalement.

— Et le dessert ?

— Ça dépend.

— De quoi ?

— Si tu aimes la crème brûlée parfumée à la lavande.

— Tu plaisantes ?

J'ai ri et manqué m'étouffer. À l'évidence, Jack ne raffolait pas de la crème brûlée, a fortiori parfumée à la lavande.

— Je me doutais que ça ne te tenterait guère, alors j'ai aussi préparé un gâteau au chocolat.

— C'est parfait pour moi ! a-t-il approuvé.

— J'avais prévu d'y ajouter quelques touches décoratives, mais je peux aussi me laisser persuader de le servir nature avec de la glace.

— Je suis un Américain pur jus : apporte-moi juste la glace.

D'abord, nous avons encore bu du champagne, puis attaqué ma salade de homard – le meilleur plat après l'amour, à mon avis. Ou avant, maintenant que j'y pense, même si, parlant d'amour, nous n'avions pas prononcé le mot une seule fois.

Je songeais encore à ce détail lorsque j'ai piqué sur ma fourchette un bon morceau de homard pour le donner à Jack, qui m'a ensuite rendu la politesse.

— Je t'ai déjà dit que j'adorais les rousses ? m'a-t-il lancé en passant la main dans mes cheveux.

Un frisson de plaisir m'a parcourue, et nous avons vite oublié le dessert pour refaire l'amour – sur le tapis, cette fois, et sous le regard de Scramble, toujours perchée sur son armoire.

36

Nous étions au lit quand le tambourinement de la pluie sur les carreaux m'a réveillée. À côté de moi, Jack me regardait dormir.

— La pluie ! a-t-il commenté. Qui se serait attendu à ça dans le sud de la France ?

— On ferait mieux de laisser rentrer le chien, ai-je dit. Je ne voudrais pas qu'il se retrouve trempé.

(Trop tard, je me suis rendu compte que je lui avais parlé comme si j'avais été sa femme.)

Appuyé sur un coude, Jack ne cessait de me scruter. Je n'avais pas envie qu'il m'imagine intéressée par une relation à long terme. Il aimait sa liberté, et je n'exigeais rien de lui. De plus, je m'étais juré de ne plus jamais tomber amoureuse, n'est-ce pas ?

— Je ne crois pas au coup de foudre, ai-je bafouillé. Tu sais, ces étincelles censées voler entre deux personnes quand leurs yeux se croisent d'un bout à l'autre d'une pièce...

— C'était par-dessus l'eau.

J'ai froncé les sourcils, déconcertée.

— C'était par-dessus l'eau, a-t-il répété. Rappelle-toi, le télescope...

— Et les jumelles.

— Voilà. Tu n'avais pas si belle mine, ce jour-là.

— Euh... oui, probablement. Mais je voulais juste t'expliquer que je ne crois pas à ces histoires de coup de foudre.

— Moi non plus, a-t-il répondu en s'adossant contre ses oreillers, impassible.

— Bon. Pas de complications amoureuses entre nous, alors.

Je m'étais exprimée d'un ton ferme, à la manière d'une femme très sûre d'elle. Mlle N aurait été fière de moi.

— Tu l'as dit.

— Parfait.

— Maintenant, au moins, a-t-il renchéri, on sait où on va.

— Exact. Que fait-on pour le chien, alors ?

Jack a écarté les draps et s'est dirigé vers la porte, aussi nu et magnifique que lorsque je l'avais vu plonger de son bateau. J'ignorais tout du monde dans lequel il vivait, mais je n'y avais visiblement pas ma place. J'avais donc raison de ne pas m'amouracher, non ?

Je sentais pourtant flancher mes bonnes résolutions. Seigneur, quelle cruche ! me suis-je lamentée. C'est du déjà-vu, tout ça. Tu t'es encore laissé prendre dans les filets d'un homme qui n'est pas fait pour toi !

Jack a ouvert la porte à son chien. J'ai séché ce dernier avec un drap de bain pendant que son maître se douchait et s'habillait, puis je me suis assise au bord du lit.

— Le repas était excellent, m'a complimenté Jack, l'air sérieux, après avoir enfilé ses mocassins.

J'ai hoché la tête en guise de remerciement.

— Et le champagne aussi, a-t-il ajouté.

— C'est mon préféré.

Il s'est approché pour repousser mes cheveux en arrière.

— Tu es belle, Lola.

J'aurais voulu lui assurer que non, seulement quand j'étais dans ses bras, mais je n'ai réussi qu'à marmonner « Toi aussi, tu es beau » – et encore n'étais-je pas certaine d'avoir trouvé là une réponse appropriée pour un homme.

— Dis-moi, a-t-il poursuivi. Tu as pensé à Patrick, cette nuit ?

Choquée, je suis d'abord restée muette. Se figurait-il que je n'avais aucun principe ? Que je pouvais rêver à un autre que lui en sa présence ? Je l'ai détrompé d'un signe de tête.

— Tant mieux.

Sa réaction m'a interloquée, et j'ai eu l'impression pendant un moment qu'il considérait notre aventure comme une sorte de thérapie, une version moderne de l'aide fournie aux couples en difficulté par certains conseillers conjugaux.

— J'aimerais t'inviter sur mon bateau, m'a-t-il annoncé tout à coup. Je ne te promets pas un festin de roi, mais une croisière sur la baie au coucher du soleil ne devrait pas te déplaire. Et c'est moi qui offrirai le champagne, cette fois.

— Je déteste les bateaux, ai-je avoué.

— Tu apprendras à les aimer, a-t-il rétorqué, avant de porter mes mains à ses lèvres, de siffler son chien et de disparaître.

Allongée sur mon lit, j'ai contemplé le plafond en me demandant pourquoi j'étais aussi idiote. Manque d'expérience, peut-être. Le sommeil m'a pourtant vite gagnée, et je me suis endormie avec Scramble sur mon oreiller, le souvenir du corps de Jack sur le mien et le bruit de la pluie contre mes fenêtres.

37

Le lendemain matin, de petits voiliers fendaient les flots devant ma crique, mais à la place du sloop ne se trouvait plus qu'une étendue d'eau turquoise. Jack Farrar et Sale Chien étaient partis.

Incrédule, j'ai détourné la tête. J'étais une dure à cuire, et je me suis rappelé avec rage qu'on m'avait déjà blessée. Je m'en remettrais. Sans savoir comment, je me suis douchée, habillée, et j'ai rejoint ma cuisine, dont le charme m'a pour la première fois laissée indifférente. Après tout, elle ne m'appartenait pas plus que Jack Farrar.

J'ai marmonné un vague « bonjour » à Nadine, qui m'a longuement sondée du regard avant de me servir un café. Mes propos sur le coup de foudre me sont revenus en mémoire. Même si je ne me souvenais pas des mots exacts que j'avais employés, je me doutais qu'ils étaient stupides – et tout ça parce que Patrick m'avait trahie.

Mlle N m'avait conseillé de ne pas me priver d'une aventure à cause de lui, n'est-ce pas ? Eh bien, on pouvait dire que je l'avais écoutée !

— Buvez, m'a ordonné Nadine. Et expliquez-moi ce qui ne va pas aujourd'hui.

— Les hommes, ai-je répondu en contemplant ma tasse d'un air lugubre.

— Et un en particulier, je suppose, a-t-elle répliqué avec sévérité. J'espère juste qu'il ne s'agit pas encore de Patrick. J'en ai assez de lui. Il est responsable de tous vos ennuis.

— En effet, ai-je reconnu. Mais il n'empêche que j'ai recommencé : je me suis attachée à quelqu'un, j'ai passé la nuit avec lui et ce matin il s'est enfui. Disparu, envolé. Quel est mon problème, Nadine ? En quoi est-ce que je m'y prends mal ?

— Vous vous souciez trop des autres. Vous devriez penser davantage à vous, Lola. Vous aimez rendre les gens heureux, mais il est temps que vous fassiez preuve d'un peu plus de jugeote en ce qui concerne vos affaires de cœur. Oubliez Patrick, mettez un peu d'ordre autour de vous. Et rayez aussi Jack Farrar de votre vie. Il est comme votre mari : il mènera sa barque sans se préoccuper de vous.

Cette dernière remarque, si bien intentionnée fût-elle, ne contribua pas à me remonter le moral. La vérité était une pilule amère à avaler.

— Vous avez sûrement raison, ai-je admis. Et de toute façon, le plus important à l'heure actuelle est de savoir ce que nous allons faire, vous et moi une fois au chômage.

— Je ne suis pas sûre que cela se produira, a-t-elle dit, les yeux brillants de compassion, mais si jamais l'hôtel Riviera devait vous être retiré, alors peut-être qu'on pourrait ouvrir un bistro à Antibes. Vous cuisinerez, je servirai les clients, et ma sœur les accueillera les jours où elle n'aura pas à surveiller ses bébés. Le reste du temps, on se débrouillera toutes les deux. Ça marchera, vous verrez.

Elle se montrait si bonne et me témoignait un soutien si indéfectible que je me suis levée pour la serrer dans mes bras.

— Merci, Nadine. Je souhaite juste qu'on n'en arrive pas là.

Marit a surgi au même instant, une valise à la main. Elle avait troqué sa tenue de travail contre une jolie robe d'été.

— Madame Laforêt ? Il faut que je rentre chez moi, ma mère a besoin de mon aide à Lyon.

— Oh, il n'y a rien de grave, au moins ?

— Non, madame, c'est juste que je dois partir. Mon petit ami passe me prendre au bout de l'allée dans cinq minutes. (Elle a jeté un œil à sa montre.) Je suis désolée de vous quitter si vite, mais ma mère a vraiment besoin de moi.

J'ai hoché la tête. Je comprenais qu'elle veuille aller de l'avant. Elle avait dû décrocher une place intéressante à Lyon qui lui permettrait de faire évoluer sa carrière. Je ne lui en tenais pas rigueur, même si j'aurais préféré être prévenue un peu plus à l'avance. Enfin bon, mes clients seraient bientôt tous partis et moi, je m'en sortirais.

— J'espère que tout ira bien pour vous, Marit, ai-je déclaré en lui signant le chèque de son salaire. Vous avez beaucoup de talent et je vous fournirai une excellente lettre de recommandation. Donnez-moi de vos nouvelles, ai-je ajouté avec un sourire. Et merci d'avoir travaillé si dur, j'ai beaucoup apprécié.

Elle a paru gênée par mon calme et mes vœux de réussite, et elle qui s'était à l'évidence attendue à de la rancœur m'a gratifiée de trois bises – une vraie marque d'affection.

— Vous êtes très aimable, madame. Bonne chance à vous !

Puis elle a pris son chèque, sa valise, et s'en est allée après avoir dit au revoir à Nadine.

Déjà deux départs, encore huit à venir, ai-je calculé au moment même où Jean-Paul arrivait sur son vélo. Comme d'habitude, il a terminé sa course dans le buisson de romarin et a ensuite débarqué dans la cuisine, les mains dans les poches et la mine rêveuse.

— Que s'est-il passé ? lui a demandé Nadine.

— Ah, l'amour…, a-t-il répondu, avant de s'adresser à moi : Bonjour, madame Laforêt. Je m'occupe tout de suite des tables.

— L'amour constitue décidément la réponse à beaucoup de questions ! ai-je lancé à Nadine pendant qu'il allait se doucher.

La sonnerie du téléphone a retenti un peu plus tard au milieu des bruits de vaisselle. C'était Freddy Oldroyd, le père de M. Lune-de-Miel. Je lui ai exposé la situation en détail et lui ai promis de lui envoyer une copie des documents fournis par Laurent Solis. En attendant, il m'a recommandé de ne pas m'inquiéter : il se faisait fort de résoudre mon problème et me contacterait dès qu'il se serait penché sur ces papiers. Je l'ai remercié sans trop y croire. Je savais au fond de moi que je ne parviendrais pas à conserver l'hôtel.

La semaine commençait mal.

38

Les jours ont filé sans que je m'en rende compte tant j'étais occupée, entre les courses, la cuisine et mes clients. À son tour, Jean-Paul a pris congé plus tôt que prévu après s'être trouvé un job d'hiver à Cannes.

— Je reviendrai l'été prochain, madame Laforêt, m'a-t-il promis.

Je lui ai conseillé de retourner plutôt à l'école ou d'entrer comme apprenti dans un restaurant réputé où il pourrait se former et gravir les échelons, mais l'ambition n'était pas dans sa nature. Curieusement, il m'a manqué.

Puis, presque avant que j'aie pu dire ouf, l'heure du départ a sonné pour mes clients. Leurs valises empilées dans le vestibule, ils ont réglé leur note auprès de Nadine et se sont échangé leurs adresses en se promettant de se revoir. Je les ai aidés à charger leurs affaires dans leur voiture et me suis ensuite tenue en retrait. Le moment que je redoutais était arrivé.

— Gardez la tête haute, m'a conseillé Budgie.

Ses deux garçons m'ont serrée contre eux. Ils nous regretteraient, mes brownies et moi, m'ont-ils assuré. Amusée, je leur en ai offert un sachet auquel ils se sont tout de suite attaqués.

— Eh ! Vous les mangerez dans l'avion ! a protesté Budgie.

Mais il était trop tard, et elle s'en est allée avec eux en riant.

— On se tiendra au courant de ce qui se passe ici par l'intermédiaire de mon père, m'a déclaré M. Lune-de-Miel.

— Nous sommes de tout cœur avec vous, a renchéri sa femme. Et on se reverra l'année prochaine, soyez-en sûre !

J'ai agité la main en signe d'au revoir lorsqu'ils se sont éloignés, puis me suis tournée vers Red Shoup.

— Et maintenant ? m'a-t-elle demandé en me fixant droit dans les yeux.

Elle n'avait pas pour habitude de mâcher ses mots, aussi n'attendais-je d'elle aucune marque hypocrite de compassion ni aucune promesse que tout rentrerait dans l'ordre.

— On verra ce que me réserve l'avenir.

— Vous n'avez pas le choix, ma puce. Mais écoutez-moi : accordez-vous un peu de bon temps et pensez un peu plus à vous au lieu de toujours prendre soin des autres. Surtout des hommes. (Elle m'a jeté un regard perçant.) Qu'est devenu Jack Farrar ?

— Il a plié bagage.

189

— Il reviendra, j'en suis certaine. (Elle m'a alors embrassée.) Bonne chance, Lola, a-t-elle conclu avant de monter dans sa voiture.

Son mari, qui s'était employé pendant ce temps à ranger dans le coffre toutes les affaires qu'elle avait réussi à acheter en un mois, m'a lui aussi serrée contre lui.

— On vous aime tous, Lola. Vous êtes la meilleure, ne l'oubliez pas.

— À l'année prochaine ! m'a lancé Red au moment où il a démarré.

Je l'espérais. Oh, comme je l'espérais !

Il ne restait plus personne à présent.

Seule Mlle N devait séjourner encore une semaine à l'hôtel, mais pour l'heure, elle était partie faire une excursion le long de la Côte au volant d'une petite Fiat de location – le scooter l'avait lassée.

« Vous avez besoin d'air, ma chère, m'avait-elle affirmé, faisant par là allusion à ma relation avec Jack Farrar. Ne vous inquiétez pas, les choses finiront par s'arranger. »

Était-ce seulement possible ? me suis-je demandé, submergée par un vif sentiment de solitude à la vue de mon hôtel désormais désert.

39

Je ne suis toutefois pas restée seule très long-temps, car Giselle Castille a surgi en trombe sur le chemin, très semblable à Grace Kelly dans *La Main au collet*, au volant de sa Jaguar décapotable gris-bleu, avec son foulard autour de la tête et ses grosses lunettes de soleil.

Debout sur le perron, je l'ai regardée basculer d'abord ses longues jambes sur le côté, rajuster sa jupe courte, puis se lever sans rien dévoiler d'indé-cent, telle une star émergeant d'une limousine lors d'une première à Hollywood.

Un homme l'accompagnait. Jeune, avec des lunettes noires et une casquette de base-ball, il n'a pas bougé de son siège pendant qu'elle s'avançait vers moi.

— Lola ! m'a-t-elle interpellée.

— Bonjour, Giselle.

Nous nous sommes dévisagées sur les marches.

— Il faut qu'on parle, m'a-t-elle annoncé.

— Entrez donc.

À l'intérieur, elle a embrassé le vestibule du regard, avant de traverser le salon pour passer sur la terrasse. Mon joli petit hôtel ne m'a soudain paru ni assez chic ni assez glamour. Pourtant, si défraîchi fût-il, j'avais toujours estimé qu'il compensait par son charme son manque d'apparat.

Giselle, visiblement, demeurait insensible à ce charme. Elle n'avait dû remarquer que les vieux meubles abîmés, les tissus provençaux bon marché, les entailles sur la table en bois de rose, et les fleurs qui piquaient du nez dans les pots argentés.

— Voilà donc l'hôtel Riviera !

— Oui.

— Le seul bien de Patrick, a-t-elle ajouté en revenant s'installer sur ma fausse banquette Louis Quelque-Chose.

— Jusqu'à il n'y a pas longtemps.

— Il paraît que Solis vous l'a acheté pour sa femme ?

Sa question s'apparentait davantage à une affirmation, aussi l'ai-je corrigée :

— Patrick devait de l'argent à Solis. L'hôtel lui avait servi de garantie, mais comme il n'a pas remboursé ses dettes, Solis se prétend maintenant propriétaire des lieux. Il veut en faire cadeau à sa femme.

— Ah, Evguenia ! (Elle m'a fixée d'un air entendu.) Avec Patrick, ç'a toujours été : *Cherchez la femme !*

Exactement ce qu'avait dit Mlle N, ai-je songé. Était-ce donc vrai ? Patrick avait-il une liaison avec

Evguenia ? Mais alors, comment Giselle pouvait-elle être au courant ?

— Mme Solis aura affaire à moi si elle veut l'hôtel, a-t-elle grondé. J'ai une liste de tout ce que Patrick me doit. Je lui ai toujours signé des chèques à son nom, en notant chaque fois leur numéro et le montant de la somme. Ils sont antérieurs au prêt de M. Solis, à mon avis. Ça fait des années que je renfloue Patrick.

— Vous êtes venue exprès pour me l'apprendre ? l'ai-je questionnée, la tête haute, comme Budgie me l'avait conseillé.

J'en voulais à cette garce fortunée et manipulatrice qui, non contente d'avoir couché avec mon mari, prétendait maintenant s'approprier ma maison.

— C'est tout, ma chère Lola. À part une dernière chose, peut-être.

— Je vous écoute. Qu'y a-t-il ? me suis-je enquise d'un air las, parce que, à ce stade, la vie de Patrick devenait pour moi un mystère.

— Dites-moi où il est. Dites-moi où il se cache et je ne ferai pas valoir mes droits sur l'hôtel. Je vous le promets.

— Je n'en ai aucune idée, ai-je rétorqué froidement.

— Oh, si, vous le savez !

Déjà debout, elle s'est dirigée vers la porte, impeccable dans son ensemble blanc et son foulard assorti. Elle m'évoquait une madone bronzée – l'innocence en moins.

— Je vous préviens, m'a-t-elle lancé. Il serait plutôt dans votre intérêt de me répondre.

— Pourquoi ? me suis-je énervée en la suivant.

— Parce que, ma chère Lola, Patrick m'appartient. Il a toujours été à moi.

Je suis restée plantée sur le pas de la porte, stupéfaite. Bien sûr, j'avais compris dès notre première rencontre qu'elle avait été la maîtresse de Patrick, mais de là à prétendre qu'il lui *appartenait* ? Cette femme était folle.

Comme pour me soutenir, Scramble est apparue à l'angle de l'hôtel. Elle s'est figée un instant, puis, avec un caquètement retentissant, s'est ruée sur ma visiteuse en battant des ailes. Giselle a hurlé et tenté de s'en débarrasser, mais mon amie ne cessait de lui infliger des coups de bec sur les bras, les jambes, partout où elle pouvait.

— Enlevez-moi ça ! a vociféré Giselle, en même temps qu'elle égrenait un chapelet d'injures peu raffinées.

Je n'ai pas bougé. J'aurais même si volontiers arraché les yeux à cette femme que j'ai encouragé Scramble en silence, avant de l'attraper quand le jeune homme a bondi hors de la voiture pour défendre sa compagne.

— Partez, leur ai-je ordonné. Vous n'êtes pas les bienvenus ici.

Giselle criait toujours lorsqu'ils ont démarré. J'avais beau m'en moquer, j'ai eu la désagréable impression de n'en avoir pas encore fini avec elle. Elle reviendrait se venger.

Le silence était retombé sur l'hôtel. Un silence déconcertant.

Sans lâcher Scramble, je suis rentrée chez moi. C'est alors que je l'ai aperçu.

Le sloop mouillait dans ma crique, comme au premier jour.

40

Je l'ai examiné le cœur battant, la bouche sèche de colère, pendant que Scramble se dégageait de mon étreinte pour foncer rejoindre son pot.

Monsieur était donc de retour. Après une semaine d'absence. Où était-il allé ? Pourquoi avait-il disparu sans un mot ? Et juste après notre nuit d'amour en plus ! Peut-être n'avais-je pas fait preuve d'assez de retenue, mais je n'étais pas une fille facile pour autant. S'il s'imaginait pouvoir réapparaître dans ma vie comme si de rien n'était, il se trompait lourdement. J'en avais soupé des hommes. De *tous* les hommes. Y compris Jack Farrar.

Je me suis jetée sur le canapé de la galerie. La tête sur les coussins, les yeux fermés, je me suis exhortée à ne lui prêter aucune attention. La vie m'avait asséné un coup de trop, et je ne me sentais pas la force de le supporter.

Le bruit de ses pas sur le sentier m'est parvenu un peu plus tard. J'ai gardé les yeux clos et n'ai pas esquissé le moindre geste, mais je n'ai pu réprimer un frisson au son de sa voix.

— Lola ? Lola, tu vas bien ?

Je le devinais à côté de moi, j'entendais sa respiration et l'imaginais qui me fixait d'un air perplexe.

— Va-t'en.

— Je viens à peine d'arriver !

— Ah !

— Que se passe-t-il, chérie ?

J'ai entrouvert les yeux. Il ne m'avait jamais appelée « chérie » avant.

— Je rentre des États-Unis, a-t-il ajouté.

— Ben voyons ! ai-je ironisé, prête à parier qu'il avait traîné avec ses copains dans les ports de la côte.

Il a soulevé mes pieds du canapé et les a reposés sur ses genoux après s'être assis près de moi.

— Il y a eu un accident à Newport. Carlos et le reste de l'équipage étaient en mer sur mon deuxième sloop quand, pour je ne sais quelle raison, le gouvernail s'est détaché en laissant un trou énorme dans la coque. Ils ont tenté d'écoper, mais l'avarie était trop importante et l'eau s'engouffrait trop vite. Le bateau a sombré par quinze mètres de fond. Je n'avais pas le choix : j'ai pris le premier avion pour Paris, et ensuite pour Boston.

— Carlos n'est pas blessé ? Et les autres ?

Je soutenais son regard à présent, avec encore, toutefois, un peu de méfiance.

— Ils avaient envoyé un signal de détresse, si bien que les sauveteurs les ont sortis de l'eau presque avant qu'ils soient mouillés.

— Tant mieux.

— Oui, c'est au moins une bonne nouvelle. Mais il fallait que j'aille là-bas le plus vite possible pour envoyer des plongeurs évaluer les dégâts et faire remonter le bateau à la surface. Ça n'a pas été facile, sans compter que ce n'est plus qu'une épave maintenant.

La tristesse dans sa voix ne m'a pas échappé.

— Je suis désolée.

— Lola, a-t-il dit, je regrette que tu sois fâchée contre moi. J'ai essayé de te téléphoner, mais tu n'étais pas là, alors j'ai laissé un message à Jean-Paul en lui expliquant que j'étais confronté à une urgence et que je serais absent une semaine.

J'ai esquissé un sourire désabusé. Fidèle à ses habitudes, mon ex-jeune homme à tout faire s'était montré indigne de confiance.

— Avec lui, tout ce qui entre par une oreille ressort aussitôt par l'autre.

— On dirait bien. Mais toi, tu n'es pas sortie de ma vie aussi vite que tu y es entrée, m'a assuré Jack. Je te le promets. J'ai pensé à toi tout le temps dans l'avion qui m'emmenait à Boston. Et au retour aussi.

— Vraiment ?

Je me sentais déjà fléchir – ou plutôt *fondre*, pour être plus exacte, et ce d'autant plus qu'il s'est penché vers moi pour poser sur mes lèvres un baiser tendre et léger.

— Oui, a-t-il murmuré en me caressant les jambes avec douceur. Que puis-je faire pour être pardonné ?

Je me suis aussitôt redressée.

— Je sais, me suis-je écriée d'un ton désespéré. Il n'y a plus personne ici, même Mlle Nightingale est partie en excursion. J'ai besoin de m'évader. Si on allait dîner quelque part ?

— Très bonne idée.

Jack m'a décoché un sourire à réchauffer l'Antarctique. Tant pis si je recollais encore une fois les morceaux de mon existence et si je ne regardais pas l'avenir en face, comme je l'aurais dû. Là, pour l'heure, je m'en fichais.

41

Nous avons pris la direction de Saint-Tropez – enfin, Jack m'y a conduite dans ma voiture, sans cesser de se plaindre de la boîte de vitesses – et, pour commencer, nous avons fait une halte au Stube, un bar de marins très fréquenté situé au premier étage d'un petit hôtel du quai Suffren.

— Tu dois te sentir chez toi ici ! ai-je plaisanté en m'installant à une table d'où l'on pouvait admirer les yachts du port.

— Ce n'est tout de même pas aussi chic que ta terrasse.

— Merci pour le compliment. Mais je commence à avoir des doutes sur son côté chic.

Devant sa mine intriguée, je lui ai fait part de la visite de Giselle Castille et de son attitude, qui m'avait amenée à regarder mon hôtel avec d'autres yeux.

— Ça ne m'avait jamais frappée jusqu'à maintenant. Je l'avais aménagé comme ma propre maison, mais on n'avait pas beaucoup d'argent à l'époque, et presque tout est passé dans les grosses réparations. Moi qui rêvais d'une piscine bleu marine et aménagée de telle sorte qu'elle aurait semblé se déverser dans la mer, j'ai dû y renoncer, faute de moyens. Aujourd'hui, je sais qui blâmer.

— Patrick, a-t-il complété. Des nouvelles ?

— Aucune. (Le serveur est arrivé à cet instant avec nos flûtes de champagne.) Tu m'as manqué, ai-je avoué, bien que cela ne fût peut-être pas la meilleure chose à dire à un homme dont je pensais tout récemment qu'il m'avait laissée en plan.

— Toi aussi. (Il m'a saisi la main avant de lever son verre.) À toi, Lola March. À une femme au grand cœur.

— Un cœur qui bat à toute vitesse en ce moment ! Ce doit être le champagne.

— J'espère que non ! a-t-il souri.

J'ai ensuite continué à lui parler de Giselle et de ma crainte qu'elle ne revienne se venger de ce que lui avait fait subir Scramble. Jack a applaudi à la réaction de cette dernière : la poule avait compris que cette femme mijotait un mauvais coup ; il aurait agi comme elle.

Puis, main dans la main, nous avons regagné la voiture pour nous diriger cette fois vers la plage de Tahiti et le Millésime, un club dont l'ambiance très zen tranchait avec le clinquant de Saint-Tropez. L'été se terminait. Bientôt, tous les établissements de bord de mer fermeraient, de même que les hôtels et les restaurants. Le mistral soufflerait, les Alpes se recouvriraient de neige, le ciel virerait au gris brumeux, ou bien au bleu dur hivernal. Bientôt aussi, Jack remettrait à flot son bateau à bord duquel il se rendrait en Afrique du Sud en compagnie de son ami Carlos. Et je me retrouverais seule. Sans toit.

Consciente qu'il fallait profiter de l'instant présent, j'ai commandé du melon avec du jambon de Parme pendant que Jack optait pour des moules marinière. Autour de nous, seul un autre couple sirotait du rosé, les yeux tournés vers les gens qui se promenaient sur la plage. Un petit chien blanc mignon comme tout s'est arrêté près de notre table et a commencé à faire le beau pour quémander de la nourriture. Incapable de résister, je lui ai donné tout mon jambon, avant qu'il n'aille poursuivre son manège un peu plus loin en me laissant en cadeau plusieurs piqûres de puces sur une jambe – jolie façon de remercier, ai-je pensé en riant.

Adossée à ma chaise, j'ai ensuite savouré la vue offerte par la péninsule qui abritait mon hôtel, la chaleur des rayons du soleil filtrés par la toile de l'auvent, et la vieille chanson d'Aznavour diffusée en fond sonore. Voilà à quoi ressemble le bonheur à l'état pur, ai-je pensé. Ragaillardie, j'ai alors dévoré une coupe de fraises tandis que Jack me racontait des anecdotes sur Cabo San Lucas, une petite ville mexicaine ô combien différente de celles du sud de la France.

— C'est un endroit sympa, avec des discothèques bruyantes, des bars et des hôtels plus ou moins bons. Il y a aussi quelques restos que j'apprécie particulièrement, comme le Mocambo, qui te sert le meilleur vivaneau frit du monde avec une sauce piquante à te tordre les boyaux. Mais pour boire un coup, rien ne vaut L'Office, sur la plage de Medano : les pieds dans le sable, on y déguste des margaritas dans des verres aussi gros que des ballons de volley, entouré de jolies femmes qui font de l'œil aux marins venus s'enivrer après un long séjour en mer de Cortés... ce n'est pas désagréable.

— Il faudra que j'aille faire un tour là-bas un de ces jours.

— N'en attends pas trop, ce n'est qu'une petite station balnéaire qui perd de son authenticité à mesure qu'on y construit de grands hôtels et que les capitaux affluent. (Jack a soupiré.) Quel dommage que de tels coins ne puissent être préservés.

— Oui, en effet.

Nos yeux se sont croisés et ont échangé un message clair. Plus tard seulement, je me suis rendu compte que nous étions partis depuis déjà plusieurs heures, mais cela n'avait pas d'importance. Je n'avais plus de clients à dorloter à présent. J'étais libre de disposer de mon temps comme je l'entendais.

42

Nous avons longé lentement le bord de mer, si serrés dans ma voiture que je sentais la chaleur du corps de Jack. Une envie subite de lui caresser le bras s'est emparée de moi tandis qu'entre nous s'installait un silence haletant, une sorte de tension vacillante, comme un prélude à l'amour.

De retour à l'hôtel, Jack s'est garé sous le liseron. Il m'est apparu alors que nous allions nous retrouver seuls dans cet endroit pour la première fois. Seuls et maîtres des lieux. Nous pourrions dîner sur la terrasse en contemplant le bleu du ciel mêlé à celui de la mer. Nous pourrions nous tenir par la main et respirer le parfum du jasmin en buvant du rosé. Nous pourrions même prendre un bain de minuit si nous le désirions. Ce soir, le monde nous appartenait.

J'ai déroulé mes jambes à la manière gracile de Giselle pour sortir de la voiture. Certes, elle roulait en Jaguar et moi en 2 CV, mais elle n'avait pas à ses côtés un Jack Farrar aux pensées aussi lubriques que les miennes.

Sur la terrasse, Jack m'a dit qu'il avait laissé son chien sur le bateau et qu'il ferait mieux d'aller le chercher. Il m'a souri, un bras autour de mes épaules, et m'a obligée à lever la tête jusqu'à ce que je le regarde bien en face. Puis ses lèvres ont effleuré les miennes.

— On reprendra là où on en était.

Et il s'est engagé d'un bon pas sur le sentier qui menait au ponton en s'arrêtant juste à l'angle de ma haie de lauriers-roses pour agiter la main. Tout sourire, j'ai ôté mes sandales et, pieds nus sur les dalles réchauffées par le soleil, je me suis dirigée comme d'habitude vers la cuisine. Les perles du rideau, à l'entrée, ont tinté sous l'effet d'un brusque coup de vent. Décidément, l'automne n'était pas loin.

J'ai baissé les yeux au contact d'une substance humide et gluante sous mes orteils. Du sang ! Perplexe, j'examinais la pièce autour de moi pour en chercher l'origine quand j'ai aperçu Scramble étendue près de son pot, la gorge tranchée. J'ai tenté en vain de rapprocher les bords de sa blessure. Il n'y avait plus rien à faire.

Des larmes ont roulé sur mes joues. Scramble était mon animal de compagnie à moi, un petit amour de poule que j'avais tenu dans ma main lorsqu'elle n'était encore qu'un poussin. J'ai caressé ses plumes et, sans bruit, je me suis mise à pleurer.

43

Jack

Jack attacha son canot au ponton et remonta le sentier en sifflant gaiement, amusé de voir Sale Chien faire le pitre à côté de lui.

— Tu as intérêt à bien te tenir cette fois, mon vieux, le prévint-il. Pas question de saboter le dîner ni quoi que ce soit d'autre.

Ses pensées le ramenaient sans cesse à Lola. Il revoyait la manière dont elle était descendue de voiture, celle dont elle repoussait ses boucles rousses avec impatience, et le dessin de sa bouche quand elle esquissait un sourire. Un sourire secret dans lequel se lisait une promesse.

Lola lui avait manqué à un point qu'il n'aurait pas cru possible. Les soucis occasionnés par son bateau avaient occupé son esprit en permanence durant son séjour aux États-Unis, mais elle les avait occultés sitôt qu'il s'était retrouvé dans l'avion. Il s'était souvenu d'elle, de la douceur de sa peau, de l'expression choquée de ses beaux yeux quand Solis lui avait appris qu'il comptait offrir l'hôtel à sa femme, et aussi de sa fierté quand elle s'était levée en lui rétorquant qu'elle demanderait à ses avocats d'examiner les documents.

Lola March Laforêt ne baissait pas les bras face à l'adversité. Outre qu'il jugeait ce courage exemplaire, Jack admirait son dévouement envers ses clients et ses efforts pour assurer la bonne marche de son hôtel.

Bien sûr, il aurait dû rester à Newport. L'avarie de son bateau impliquait de coûteuses réparations et il avait autre chose à faire que d'aider Lola à régler ses problèmes. Lui-même avait les siens. Mais son travail passait à présent au second plan, et il avait confié à Carlos le soin de gérer la situation tout en se promettant de ne pas s'attarder plus de quelques jours, une semaine maximum, à l'hôtel Riviera. Juste le temps de vérifier que Lola s'en sortait. Puis il rentrerait remettre son sloop en état pour son voyage vers l'Afrique du Sud.

Parvenu à la haie de lauriers-roses, Jack se retourna. Le ciel du crépuscule s'était dissous dans la mer, noyant la ligne d'horizon dans un bleu infini. Le vent soufflait dans les arbres ; Sale Chien reniflait les buissons. Un calme absolu régnait sur ce paysage.

Jack souriait au moment de monter les marches de la terrasse. Enfin seul avec Lola. Son bateau était devenu le cadet de ses soucis.

— Lola ! appela-t-il en traversant la terrasse. Lola, ne me dis pas que tu es encore dans la cuisine !

Puis il la vit agenouillée près de Scramble, le visage caché dans ses mains, et comprit aussitôt que Giselle était revenue se venger.

— Merde...

— C'est Giselle, déclara-t-elle lorsqu'il l'eut amenée en douceur à lui faire face. Je le sais. Elle me déteste à cause de Patrick, elle n'a pas supporté de se sentir ridiculisée.

Jack l'accompagna jusqu'au salon. Là, il l'allongea sur le canapé avant de lui apporter des mouchoirs, de l'eau glacée et un linge propre.

— Mouche-toi, lui ordonna-t-il.

Lola leva la tête vers lui tandis qu'il essuyait le sang qui la maculait. Ses longs cils, collés, s'étoilaient comme ceux d'un enfant en pleurs. Dieu, qu'elle était vulnérable, songea-t-il.

— Il faut l'enterrer, décréta-t-elle. Je veux qu'elle repose près du laurier-rose et des dentelaires, à côté de la maison.

— D'accord.

Jack enveloppa Scramble dans un vieux pull, nettoya la terrasse et, après avoir trouvé une pelle, creusa un trou à l'endroit que lui avait indiqué Lola.

— Voilà, c'est bon, annonça-t-il au bout d'un moment. Ça devrait être assez profond.

Lola s'agenouilla près de la petite tombe afin d'y déposer Scramble.

— Au revoir, ma belle, murmura-t-elle.

Puis elle s'éloigna. Jack reboucha le trou et déracina ensuite quelques fleurs qu'il replanta là. Assise sur le canapé de la galerie, le dos raide, Lola garda pendant ce temps le regard perdu dans le vide.

— Viens, chérie, la pressa Jack en s'accroupissant devant elle, l'air inquiet. Je t'emmène chez moi.

44

Tous deux s'étaient installés sur le pont du sloop avec Sale Chien, lequel ronflait paisiblement, étendu entre eux de tout son long. La lune brillait au-dessus d'eux, tandis qu'un vent léger agitait les drisses et que la mer les berçait, avec un doux bruit de soie froissée.

— Tu as déjà dormi sur un bateau ? s'enquit Jack.

Lola se tourna vers lui. Allongé sur le dos, les mains croisées derrière la tête, il contemplait les étoiles.

— Non.

— Il n'y a rien de mieux. On est seul au monde avec le ciel et la brise. Et quand le soleil se lève, il te fait l'effet d'un baiser sur les paupières.

— Vraiment ?

— Yep !

— J'ai envie de connaître ça, soupira-t-elle. J'ai envie de sentir ce baiser.

— Ton vœu sera exaucé, lui promit-il.

Il alla lui chercher des couvertures et des oreillers afin de lui aménager un lit, puis s'agenouilla à côté d'elle.

— C'est Giselle, répéta Lola. J'en suis certaine. Elle est jalouse de moi à cause de Patrick.

— Disons plutôt qu'elle a chargé son copain de cette mission.

— Ne t'en va pas.

— Je ne bouge pas d'ici.

— Tant mieux, chuchota-t-elle en fermant les yeux.

Lorsqu'elle se fut assoupie, Jack s'approcha de la proue et se figea face à la mer. La tournure des événements le préoccupait ; il se demandait ce que l'avenir réservait encore à Lola. Au bout de quelques instants, il alla se servir un cognac puis revint s'asseoir à côté d'elle. Son visage avait conservé une expression enfantine, songea-t-il, attendri. Alors qu'il goûtait le souffle du vent sur sa peau et le clapotis familier des vagues contre la coque, le souvenir de Sugar et de toutes les filles avec lesquelles il avait passé du bon temps à bord de son sloop resurgit soudain dans son esprit. Force lui fut d'admettre que jamais il n'avait éprouvé de tels sentiments pour elles…

À son réveil, Lola dormait encore. Il se leva en silence, descendit se doucher, prépara le café. Elle s'agita légèrement lorsqu'il la rejoignit. Le soleil commençait tout juste à apparaître à l'horizon et, bien qu'elle eût encore les yeux fermés, elle souriait.

— Je l'ai senti, lui annonça-t-elle. J'ai senti le baiser du soleil.

— Comment c'était ?

— Très agréable. J'ai eu un sentiment... de bien-être.

— Maintenant, tu sais pourquoi j'aime vivre sur un bateau.

Elle se redressa sur son séant et glissa les doigts dans ses cheveux.

— Ne me regarde pas, je ne ressemble à rien.

— Je ne te regarde pas, la rassura-t-il. Je fais le service, c'est tout.

Lola remarqua alors le plateau sur lequel il avait disposé une cafetière, deux tasses, deux œufs à la coque et un toast coupé en lamelles.

— Ça ira mieux après cela, lui dit-il.

— Oh oui, approuva-t-elle, radieuse. Je n'en doute pas.

45

Mlle N

Mlle Nightingale était ravie de sa petite Fiat de location. Elle lui rappelait sa Mini Cooper, à cette différence près que sa voiture à elle était d'un rouge éclatant, et non grise comme celle-là. Elle n'avait pas eu la moindre hésitation au moment de l'acheter, un an plus tôt, tout en imaginant sans peine la réaction qu'aurait eue Tom – pourquoi la choisir de cette couleur, tu vas attirer l'attention de tous les flics de Blakelys jusqu'à Londres, et à la vitesse où tu roules, Mollie, tu finiras par collectionner les amendes. Mais Tom n'était plus là pour la mettre en garde, et elle se rendait rarement dans la capitale, de toute façon. Quand il le fallait, elle préférait prendre le train.

Elle avait donc opté pour ce rouge bien vif que tout le monde au village reconnaissait. Quand ils la croisaient, les gens la saluaient et lui souriaient comme au temps où, assise derrière Tom sur sa Harley turquoise, le visage caché sous un casque, elle les dépassait en trombe.

Ce n'était pourtant pas Tom mais Lola qui occupait ce jour-là ses pensées tandis qu'elle longeait l'autoroute vers Cap-Ferrat, où elle projetait de visiter une nouvelle fois la villa abandonnée de Leonie Bahri. Un panneau PROPRIÉTÉ PRIVÉE, DÉFENSE D'ENTRER avait été apposé sur les lourdes grilles, mais Mlle N l'ignora, partant du principe que personne n'oserait accuser une femme de son âge de vouloir dérober quoi que ce soit en dehors d'une ou deux fleurs dans le jardin. Elle ne tenta d'ailleurs pas de s'introduire dans la maison et, parce que les fenêtres étaient noires de poussière et à moitié obscurcies par les plantes grimpantes, elle ne s'en approcha pas non plus pour jeter un œil à l'intérieur.

La villa l'intriguait presque autant que la disparition de Patrick Laforêt. Leonie Bahri appartenait peut-être au passé, mais son histoire avait été relatée par les journaux locaux et conservée dans leurs archives, ainsi que des photos, hélas trop anciennes et trop floues pour bien la distinguer. Outre sa grande taille et son impressionnante chevelure blonde, on devinait pourtant cet air indomptable qui l'avait rendue célèbre – même sur les clichés où elle apparaissait chapeautée, gantée et vêtue de ce qui devait être alors la dernière robe à la mode.

Autrefois surnommée La Vieille Auberge, sa villa aux murs blancs et aux volets verts s'était dressée au milieu d'un magnifique jardin, sur un terrain parsemé d'oliviers qui descendait jusqu'à la mer. À présent, ce n'était plus qu'une bâtisse déserte dont les piliers s'effritaient et dont le toit percé laissait certainement passer la pluie en hiver. L'endroit n'en possédait pas moins quelque chose de magique, songea Mlle N en parcourant les sentiers à moitié recouverts par la végétation. Le calme et le silence y régnaient en maîtres.

Elle savait que Leonie avait aménagé elle-même le parc. Qu'elle avait transformé sa villa en hôtel, comme Lola. Et qu'elle aussi avait été abandonnée par son amant. Existait-il d'autres points communs entre elles ? Mlle N regretta de n'avoir pu glaner sur Leonie que les quelques anecdotes rapportées par les journaux, lesquels expliquaient qu'elle avait été une vedette de la scène musicale, une femme à la réputation sulfureuse, la maîtresse d'un homme puissant – bref, une amoureuse qui avait trop souvent et trop inconsidérément donné son cœur.

Peu importe, décida Mlle N, qui balaya les feuilles mortes d'un banc de pierre pour s'asseoir à l'ombre d'un vieux jacaranda. Seuls le chant des oiseaux et le bruit assourdi de la mer contre les rochers du rivage troublaient la quiétude des lieux. Elle ferma les yeux, en proie à un profond sentiment de paix.

Lorsqu'elle s'éveilla, le ciel avait pris la teinte bleu dur des après-midi d'été. Revigorée par son somme, mais un peu engourdie, elle se leva avec peine. Seigneur ! il devait être l'heure de déjeuner et, tels qu'elle connaissait les Français, ils refuseraient de la servir si elle arrivait après 2 heures moins 10. Évidemment, eux aussi devaient manger, raisonna-t-elle. Mais elle avait envie de s'aventurer jusqu'en Italie. Elle n'était pas loin de la frontière, et personne ne refusait jamais une table à une femme, là-bas.

Alors qu'elle rebroussait chemin, Mlle N avisa une petite stèle en marbre sous le jacaranda. Elle se baissa et l'épousseta avec son mouchoir, avant de chausser ses lunettes.

Un chat avait été gravé dans la pierre. Petit, mince, les oreilles pointues, il se roulait sur le dos, les pattes en l'air et la tête inclinée sur le côté. Mlle N ne put réprimer un sourire à sa vue et se pencha plus près afin de déchiffrer l'inscription. *À Bébé. Tu resteras à jamais dans mon cœur.*

Un hommage de Leonie à son chat, sans doute. L'animal ressemblait d'ailleurs à la femme des photos : même museau pointu, même grâce, même coquetterie. Ainsi, l'artiste avait enterré son « bébé » sous cet arbre où elle avait dû s'asseoir plus d'une fois, comme elle aujourd'hui, le regard tourné vers la mer, perdue dans ses rêves.

Mlle N tapota la stèle et retraversa le jardin, dont elle ferma les grilles rouillées avec soin – elle ne souhaitait pas que d'autres découvrent son refuge secret. Puis elle reprit l'autoroute en direction de l'est.

— L'Italie, fit-elle à voix haute. Quelle aventure !

46

La Fiat peinait à monter la route en pente de la corniche. Malgré les virages en épingles à cheveux – d'où la vue, si vous relâchiez votre concentration un bref instant, était littéralement à tomber par terre –, Mlle Nightingale roulait sans s'émouvoir du danger. Elle aurait sillonné des routes comme celle-là à longueur de journée, et peut-être même la nuit, aussi indifférente au précipice à sa droite qu'aux énormes camions qui fonçaient sur la file de gauche. Le trajet se révélait toutefois plus long que prévu, aussi appuya-t-elle sur l'accélérateur.

Lorsque enfin elle franchit la frontière à Vinti-mille, elle s'aperçut qu'il était trop tard pour aller plus loin. Elle rejoignit donc le bord de mer et alla s'attabler dans un café-restaurant où elle commanda des lasagnes et un verre de limonade – quoi de plus rafraîchissant que cette boisson quand il fait chaud ? pensa-t-elle en examinant les autres clients. Il n'y avait pas de touristes à cet endroit. Juste des travailleurs locaux, absorbés par une partie d'échecs, et deux dames de son âge qui ne différaient d'elle qu'à un détail près : elles avaient la chance d'avoir des petits-enfants dont s'occuper durant l'après-midi. Enfin, elle aussi avait eu ses « petites-filles » à l'école Reine-Wilhelmine, et leur souvenir lui tenait lieu de descendance.

Mlle N poussa ses lasagnes de-ci de-là dans son assiette. C'était la première fois qu'elle mangeait mal en Italie, et pourtant elle avait testé plus d'une pension et d'une auberge au fil de ses voyages dans la Péninsule. Même la limonade lui paraissait acide. Sa petite aventure avait perdu de son attrait, et elle songea qu'il lui fallait maintenant refaire la route en sens inverse. Avec un soupir, elle régla sa note en laissant un pourboire convenable, quoique immérité, puis décida d'aller se dégourdir les jambes avant de reprendre le volant.

Une Ducati 748S flambant neuve garée près du café attira son attention. Tom l'aurait adorée. Élancée, puissante, c'était la moto par excellence. « Les modèles de cette marque coûtent une fortune, lui avait expliqué son mari. Les Ducati sont les Ferrari des motards. »

Mlle N tourna autour en l'admirant sous tous les angles, puis poursuivit son chemin. Déçue cependant par l'absence de monument quelconque à admirer dans les parages, elle ne tarda pas à faire demi-tour et revint vers sa voiture juste au moment où le propriétaire de la Ducati enfourchait sa moto.

Elle s'arrêta pour le dévisager. Plus exactement, elle se figea net, comme clouée au sol. Le temps d'un éclair, l'individu posa les yeux sur elle lorsqu'il vérifia que la voie était libre, puis il s'éloigna à toute allure.

Mlle N fronça le nez et fixa la rue pavée avec l'air de s'attendre qu'il revienne. Pour finir, elle sortit un carnet de son sac à main et nota le numéro de sa plaque minéralogique. Elle avait retenu une ou deux leçons de son cher Tom, après tout.

Et elle voulait bien être pendue si l'homme à la moto n'était pas Patrick Laforêt.

47

Patrick

S'il y avait une chose que Patrick Laforêt aimait presque autant que les femmes, c'était la vitesse. Surtout sur un engin comparable à celui qu'il chevauchait à cet instant, avec des pots d'échappement qui vrombissaient aussi fort qu'un jet au décollage.

D'un gris mat rehaussé par des jantes rouges, sa Ducati 748S avait la beauté et la finesse d'un avion de chasse. Rien ne pouvait se mesurer à elle – à part peut-être sa Porsche. Il regrettait d'avoir dû abandonner cette dernière, mais Evguenia lui avait assuré qu'il n'avait pas le choix car sa voiture attirait trop l'attention. Elle avait raison, bien sûr. Evguenia avait toujours raison. Elle veillait d'instinct à ce genre de détails.

Il accéléra une fois sur l'autoroute et zigzagua entre les automobilistes. Des gens ordinaires. C'est-à-dire pauvres. Patrick savait par expérience que cette situation n'avait rien d'enviable. Être fauché ne l'avait pas rendu heureux, lui qui appréciait tant le raffinement et le respect que procure l'argent. Il avait longtemps lutté pour remédier à ce problème, avec plus ou moins de succès selon les périodes, mais à présent, l'avenir s'annonçait beaucoup plus radieux.

Il tapota l'enveloppe coincée dans la poche intérieure de son blouson. Evguenia avait encore réussi son coup, même si leur pécule ne croissait pas assez vite à ses yeux. Elle était aussi ambitieuse que lui, et deux fois plus impitoyable. Lui n'aurait jamais pu imaginer un plan comme le sien. Jamais. Peut-être fallait-il être russe pour ça, ou bien une femme, ou bien les deux. À moins qu'il ne suffît d'avoir un corps de rêve pour s'en tirer impunément.

C'était bien sûr la beauté d'Evguenia qui l'avait frappé lorsqu'ils s'étaient rencontrés au Club 55 – un restaurant très chic qui, entre fleurs et champagne, accueillait tout ce que Saint-Tropez comptait de célébrités. Un an déjà…, songea-t-il en se remémorant ces instants. Ce jour-là, il était assis à une table sous l'auvent, seul pour une fois, puisque le type avec qui il devait déjeuner s'était défilé. Il avait dû deviner son intention de lui soutirer de l'argent.

Patrick s'était donc retrouvé contraint de payer la note. Bien qu'il fût un habitué des lieux, il avait senti que le personnel n'était pas ravi de le voir occuper une table importante qui aurait pu rapporter davantage au restaurant. Il comprenait. La saison était courte, et tout le monde devait se dépêcher de faire son beurre.

Il avait donc fini sa bière et envisageait de s'en aller sans manger quand il avait repéré cette blonde sculpturale à l'avant d'une vedette qui fendait les eaux en direction du club. Elle était aussi grande qu'une danseuse de Las Vegas. Et couverte de diamants. Mais surtout renversante. Même si elle sautait aux yeux, sa richesse ne constituait pour elle qu'un atout supplémentaire.

L'inconnue avait dû percevoir le désir qu'elle faisait naître en lui parce qu'elle s'était arrêtée net au moment où elle passait près de sa table à la suite du maître d'hôtel.

« La place est prise ? lui avait-elle demandé en le regardant en face.

— Non, je suis seul.

— Je m'appelle Evguenia, s'était-elle présentée d'un ton suave, tandis que l'air autour d'eux se chargeait d'électricité. Et vous ? »

Oubliant leur déjeuner, ils avaient vite quitté le club et filé rejoindre le petit pied-à-terre que Patrick louait dans les collines en vue de telles occasions. L'attirance ne joua aucun rôle dans leurs « ébats » – encore qu'un mot plus cru eût été plus approprié pour décrire ces derniers. Patrick n'avait jamais connu de femme comme elle, ni elle d'homme comme lui. Et elle voulait le garder. Pour toujours.

Ils étaient amants depuis trois mois quand leur projet s'était précisé. Allongés sur les draps froissés, Evguenia fumait ses éternelles Gitanes tandis qu'il s'étirait, encore moite de sueur et de sexe.

« C'est très simple », lui avait-elle affirmé de sa voix rauque à l'accent si prononcé qu'il en devenait parfois comique.

Puis elle s'était expliquée. D'abord, il récupérerait son hôtel. Elle avait compris quelle importance il y attachait, à force de l'entendre le répéter, et elle estimait pouvoir manipuler Solis. Il ne lui refusait rien tant il était fou d'elle. Seulement, il ne le resterait pas longtemps. Pas après avoir découvert qu'elle avait revendu la plupart de ses bijoux, de ses voitures et de ses fourrures.

« Il faudra que je me débarrasse de lui. »

Patrick avait ri sans la prendre au sérieux. Elle avait pourtant déjà tout prévu. Solis et elle partiraient faire un tour en bateau le long de la côte, comme cela leur arrivait souvent. L'équipage de l'*Agamemnon* se retirait toujours de bonne heure et Solis aimait profiter seul de sa compagnie sur le pont. Choisissant une nuit sans lune, Evguenia attirerait son mari vers le bastingage – sous prétexte d'admirer les dauphins, par exemple, ayant veillé auparavant à ce qu'il boive beaucoup et ajouté un petit quelque chose dans son verre... Il était vieux et, malgré sa carrure, elle ne doutait pas d'être plus forte que lui. Et puis, elle le prendrait par surprise. Un bon coup d'épaule, et tout serait fini. À elle la liberté. Oui, ce serait très simple.

« Après, tu élimineras ta femme », avait-elle déclaré, les yeux rivés sur lui.

Choqué, il avait arpenté la pièce, nu et furieux, en exigeant de savoir quel genre de créature elle était, et comment elle pouvait envisager ne serait-ce qu'un instant de lui faire commettre un tel acte. Il divorcerait de Lola, mais jamais il ne la tuerait.

Evguenia avait toutefois appris des années plus tôt à assurer ses arrières.

« Vois les choses de mon point de vue, chéri. Si je m'enfuis avec toi, je n'obtiendrai rien. Et crois-moi, je ne suis pas du genre à accepter de vivre pauvre. Je dois me débarrasser de Solis. (Patrick avait grogné, mais elle l'avait repoussé.) Arrête, on est pareils toi et moi. Pense que je n'aurai pas un centime si je quitte mon mari. Quant à toi, tu mettras des années à divorcer de Lola et elle te plumera. Nous serons sur la paille, Patrick. À ton avis, combien de temps durera notre "amour" alors ? Un an ? Six mois ? Une semaine ? (Sans répondre, il avait enfoui sa tête dans l'oreiller.) Redescends sur terre, chéri, lui avait-elle murmuré à l'oreille. Si je tue Solis, tu seras le seul à le savoir. Un jour, qui sait, peut-être que tu deviendras jaloux. On se disputera et tu me vendras à la police. Tu m'accuseras de meurtre. Ha ! Je ne suis pas si stupide, Patrick. C'est un prêté pour un rendu. Je supprime Solis, tu supprimes Lola. Aucun de nous ne pourra dénoncer l'autre, et on empochera tout l'argent. »

Allongée à côté de lui, elle lui avait caressé le dos en déposant sur ses épaules une pluie de baisers.

« D'accord, Patrick ?

— Je ne peux pas faire ça. »

Elle s'était aussitôt levée pour se rhabiller.

« Si tu crois que je vais gâcher ma vie à rester la maîtresse d'un homme marié, tu te trompes. (Elle avait marqué une pause sur le pas de la porte et s'était retournée vers lui, le regard brûlant.) Tu ne me reverras jamais. »

Patrick avait songé un bref instant à Lola.

« Laisse-moi y réfléchir », avait-il temporisé.

Il ne supportait pas l'idée de perdre Evguenia. Elle le tenait sous son emprise, et il lui appartenait corps et âme.

48

La puissante Ducati avala les kilomètres, se faufilant sans peine entre les voitures à la sortie de Menton. Patrick traversa la frontière italienne à Vintimille, où il s'arrêta pour boire un espresso, puis poursuivit sa route jusqu'à la station balnéaire de San Remo.

Parvenu devant le luxueux hôtel Rossi, il se gara sur l'emplacement qui lui était réservé, à côté de sa Mercedes bleu métallisé.

— Bienvenue, *signor* March, le salua le portier en souriant.

— *Grazie, Nico.*

Patrick lui tendit quelques euros de pourboire. Chacun ici le connaissait sous le nom de Cosmo March. Ce patronyme était en effet celui qui figurait sur son permis de conduire, sa carte d'identité et ses divers papiers. Ses cheveux coupés court, presque rasés, avaient changé de façon radicale – et étonnante – son apparence. Cela n'avait pourtant guère d'importance. Personne en Italie ne se souciait qu'il voyageât ou non sous un faux nom. Incidemment, il avait choisi celui du père de Lola. Enfin presque. Lui s'était appelé Michael Cosmo March, mais Patrick avait préféré faire plus court.

Aux yeux des habitants de San Remo, il n'était qu'un de ces hommes fortunés qui peuplaient les hôtels du bord de mer, même si certains se demandaient pourquoi il n'avait pas privilégié un endroit plus à la mode comme Portofino ou Santa Margarita di Ligure.

Le fait est que Patrick n'y aurait pas vu d'inconvénient, mais San Remo ne se trouvait qu'à une demi-heure de Monaco et du yacht de Solis – et par conséquent d'Evguenia, laquelle n'avait qu'à prétexter des séances de shopping pour venir le rejoindre dans la villa qu'il louait à Menton. Il ne s'y rendait que pour la voir. Le reste du temps, il s'adonnait aux plaisirs plus raffinés qu'offraient son hôtel, les cafés et les plages peuplées de jolies filles de San Remo. Après tout, il n'avait pas juré fidélité à Evguenia – même s'il se doutait qu'elle aurait été furieuse d'apprendre ses incartades. « Chassez le naturel, il revient au galop », dit le dicton. Patrick, lui, n'envisageait même pas d'essayer.

À cela s'ajoutait le casino, lequel n'avait presque rien à envier à celui de Monte-Carlo et où il était connu comme le loup blanc pour le montant de ses paris...

L'hôtel dans lequel il logeait avait été construit dans un style architectural caractéristique du début du XXe siècle. Les massives colonnes du hall d'entrée s'élevaient jusqu'à un haut plafond en dôme sur lequel avaient été peints des chérubins s'ébattant au milieu des nuages. Les talons aiguilles des dames claquaient sur le sol en marbre, tandis qu'autour résonnaient les voix aiguës des enfants qui sortaient avec leurs parents pour sacrifier au rituel de la *passeggiata*, la promenade du soir le long des cafés. Les gens saluaient leurs relations à grand renfort d'accolades et de tapes sur l'épaule et examinaient les étrangers d'un air inquisiteur, cherchant dans leur tenue des signes révélateurs de leur position sociale.

Patrick se dirigea directement vers le bar qui dominait la cour arborée à l'arrière du bâtiment. Le serveur lui apporta aussitôt son Campari habituel.

— Vous avez passé une bonne journée, *signor* March ? s'enquit-il.

Patrick sourit et répondit que oui, il avait passé une assez bonne journée, *grazie*. Tous deux discutèrent du temps, des résultats de foot et du concours de beauté censé se dérouler ce soir-là sur la plage, puis Patrick regagna sa suite au dernier étage. Ce n'était pas la plus grande de l'hôtel, mais elle convenait tout à fait à un homme riche et seul comme lui.

Il sortit le paquet de son blouson. Le pli – au sceau intact – avait été envoyé par FedEx à la banque du Soleil, à Menton, pour M. C. March. Il le posa sur le bureau et alla prendre une longue douche destinée à évacuer la fatigue et l'inquiétude qu'il ressentait toujours lors de ses expéditions en France. Que dire, en effet, si quelqu'un le reconnaissait ? Et surtout, comment expliquer le contenu de son paquet ?

Une fois apaisé, il enfila un peignoir de l'hôtel et, muni d'une bouteille de San Pellegrino prise dans le minibar, s'affala dans un fauteuil pour en avaler une grande gorgée.

Il tourna et retourna un moment le paquet entre ses doigts, avant de se décider à l'ouvrir. L'enveloppe renfermait une liasse de billets de cinquante et cent dollars, sur laquelle un post-it précisait *$ 110 000*, ainsi qu'une paire de boucles d'oreilles en perles et diamants enveloppée dans un morceau de tissu de la couleur d'un coucher de soleil. Patrick le souleva en éclatant de rire : Evguenia lui avait joint son string de la veille. Il le porta à son nez et s'imprégna de son odeur.

Puis il s'approcha de la fenêtre, d'où il contempla la rue animée en contrebas et les rangées de cabines qui formaient un pointillé le long de la mer. Toutes étaient vides. Les garçons de plage secouaient les coussins, arrangeaient les chaises longues, vidaient les cendriers, ratissaient le sable. Au bord de l'eau, une petite fille jouait avec les vagues, courant en avant lorsque celles-ci refluaient, et criant de joie lorsqu'elles s'avançaient vers elle. Ses cheveux blonds qui brillaient sous la lumière du soleil et son enthousiasme ravirent Patrick. Il se demanda à quoi ressemblerait leur enfant si Evguenia et lui en avaient un. Peut-être à une réplique miniature d'Evguenia, douce comme cette fillette, innocente...

Il ferma les yeux et inspira. Pour lui, le temps de l'innocence touchait à sa fin.

Impossible de continuer ainsi, songea-t-il en se mettant à faire les cent pas dans la pièce. Se payer du bon temps dans une petite station balnéaire ne le satisfaisait pas. Il avait besoin d'être libre, de se sentir de nouveau vivant.

Il contempla l'argent posé sur le bureau. Puis il s'habilla, s'aspergea les joues d'un peu d'eau de Cologne et tria les billets, ceux de cinquante d'un côté, ceux de cent de l'autre, et fourra le tout dans la poche intérieure de sa veste. La vie était faite pour être vécue. Direction : le casino de San Remo.

49

Lola

Je voulais ne plus jamais quitter ce bateau. Je voulais me laisser bercer indéfiniment par les vagues, oublier la réalité et me nicher dans les bras de Jack Farrar sans me soucier de l'avenir. Mais deux jours déjà s'étaient écoulés, et je savais que cela ne pouvait durer.

J'ai regardé Jack endormi à mon côté sur le lit aménagé dans la proue du sloop. La mer léchait les deux hublots, calme comme seule peut l'être la Méditerranée par une nuit parfaite. Toutes les portes avaient été laissées ouvertes, si bien qu'une brise légère soufflait dans la cabine. J'ai effleuré le torse de Jack, sa toison douce, pleine de vie sous mes doigts. À son image, en somme. Il m'avait insufflé sa force et son énergie mais, après ces quelques nuits de folle passion, il poursuivrait sa route. En bon marin, il n'était heureux qu'en mer, avec son chien pour toute compagnie.

À quoi pensait-il dans ces moments-là ? Aux filles qu'il avait connues ? Se souviendrait-il de moi plus tard ou bien deviendrais-je vite une image floue, un simple fantôme du passé ? J'ai soupiré. Son avenir à lui était gravé dans la pierre, alors que le mien se désagrégeait sous mes yeux.

Un bref instant, je me suis demandé comment financer un nouveau restaurant. Je m'en étais sortie tant bien que mal cet été, mais les maigres profits dont je devrais me contenter pour passer la morte-saison ne seraient pas suffisants si je me retrouvais contrainte de quitter l'hôtel et de chercher un autre domicile. J'avais besoin d'argent, ce n'était pas plus compliqué que ça.

Jack s'est retourné et je me suis serrée contre lui. Mon preux chevalier. Il s'était porté au secours de la demoiselle en détresse que j'étais sans ménager sa peine. Mais il était là pour m'aider, pas pour tomber amoureux de moi.

Pressée contre son corps, j'ai respiré la douce odeur de sa peau en me remémorant nos ébats de ces derniers jours. C'était un homme tendre sous sa carapace rude. Un homme assez sensible pour me préparer des œufs à la coque afin de me remonter le moral. Un homme assez doux pour enterrer Scramble et planter une fleur sur sa tombe. Un homme qui m'avait invitée dans son royaume et s'était occupé de moi comme s'il m'aimait vraiment. Ce qui était peut-être le cas, ai-je songé alors que le sommeil me gagnait, même si je devinais que cela ne durerait pas – il était ainsi.

À mon réveil, le soleil brillait déjà haut dans le ciel et Jack avait disparu. Sale Chien me fixait d'un air intrigué au pied du lit, la langue pendante. Il a tout de suite bondi vers moi quand j'ai tapoté le matelas.

— Tu es un bon chien, tu le sais, ça ? lui ai-je dit en caressant son poil rêche, amusée par son expression ravie.

— Comment allez-vous ce matin, Lola March ? m'a alors lancé Jack, qui m'observait depuis le bas des marches de la cabine.

Pieds nus et encore ruisselant après sa baignade matinale, il s'est approché de moi pour planter un gros baiser sur ma bouche.

— Je vais nager, ai-je annoncé. Attrape-moi si tu peux !

Et j'ai couru sur le pont, où je me suis immobilisée, nue, les bras levés, comme Jack la première fois que je l'avais vu. Puis j'ai plongé. L'eau froide m'a fait l'effet d'une délicieuse décharge électrique qui a achevé d'éveiller mon corps engourdi, et j'ai ouvert les yeux sur un monde cristallin. De minuscules poissons filaient autour de moi, effrayés sans doute par mon imposante présence. Je suis restée parmi eux aussi longtemps que j'ai pu avant de jaillir à la surface, riant et criant à la fois. L'instant d'après, Jack sautait à son tour, très vite imité par Sale Chien, et nous avons joué à nous poursuivre dans l'eau comme des gamins. Quel bonheur de se sentir si insouciant, si libre. J'aurais voulu que ce moment ne se termine jamais.

Mais, comme n'aurait pas manqué de me le rappeler Mlle N, toutes les bonnes choses ont une fin. De retour à bord du sloop, je me suis donc douchée et, après avoir renfilé un short et un T-shirt, je suis remontée sur le pont.

— On est à court de café et de nourriture, m'a appris Jack. Que dirais-tu d'un petit déjeuner à Saint-Tropez ?

— Parfait, ai-je acquiescé.

Nous avons mis le cap sur la ville. En chemin, je me suis tournée vers l'hôtel Riviera, seul et abandonné sur son beau promontoire, et je me suis juré de me battre pour lui jusqu'au bout.

50

Evguenia

Evguenia passa devant son mari sans lui accorder un regard et alla s'appuyer contre le bastingage, d'où elle observa le sillage d'écume blanche laissé par un hors-bord qui fendait les eaux. Elle ne bougea pas en entendant Solis approcher. Poser les yeux sur lui la rebutait. S'il la possédait, c'était au même titre qu'un collectionneur détenant une œuvre d'art inestimable.

Elle était née Evguenia Muldova, dans une famille pauvre de Russie. Ses parents, ouvriers dans une usine, partageaient un deux-pièces avec leurs sept filles – un luxe, si l'on considérait les conditions de vie locales, mais pas pour Evguenia, la plus jeune et la plus belle de leurs enfants. Nul ne comprenait de qui elle tenait sa beauté ; toutes ses sœurs étaient petites, brunes, affligées du même teint cireux que leurs parents. Et toutes, sauf elle, les avaient suivis à l'usine.

Evguenia avait eu le temps de réfléchir à leur existence, et tant d'horreur lui avait donné la chair de poule. Convaincue qu'un avenir meilleur l'attendait, elle était partie à quinze ans sans un mot d'explication et s'était installée à Saint-Pétersbourg, où elle avait menti sur son âge afin de travailler dans les boîtes de nuit sous l'appellation euphémique de « danseuse-hôtesse ». Jamais elle n'avait revu les siens.

Rencontrer des hommes lui était facile, mais en trouver qui soient prêts à l'aider s'était révélé une tâche plus ardue. Elle avait pourtant très vite réussi à gagner assez d'argent pour s'offrir les vêtements et les bijoux dont elle rêvait. Bien que sans grande valeur, ils suffisaient à contenter la jeune fille peu gâtée qu'elle avait été jusqu'alors.

Et puis un jour, un type qui « s'occupait » de femmes comme elle l'avait emmenée en Europe, et sa route avait croisé celle de Laurent Solis. Il y avait foule ce soir-là aux Caves du Roy, le night-club de l'hôtel Byblos à Saint-Tropez. Tellement, même, qu'il devenait impossible de danser. Agacée, Evguenia s'était frayé un chemin jusqu'à cet homme aux tempes argentées assis seul dans son coin et avait grimpé sur sa table, le seul espace un peu moins encombré.

Très consciente de l'effet qu'elle produisait – en particulier sur lui –, elle s'était déhanchée sans retenue, les bras levés au-dessus de la tête, sa robe scintillante accrochant la lumière. Elle avait remarqué la chemise blanche immaculée de l'inconnu, ses verres fumés, son magnum de champagne inentamé, sa montre coûteuse, et surtout savait que sa table était la meilleure d'un club où l'argent et la célébrité constituaient les principales vertus, avant même la beauté et la classe. Certes, il n'était plus tout jeune, mais il donnait l'impression de quelqu'un d'important et de riche.

Les mains sur les hanches, Evguenia s'était arrêtée de danser pour le dévisager ouvertement.

Laurent Solis avait examiné en retour cette déesse blonde éclatante de jeunesse et l'avait désirée au point que, sitôt rentré avec elle sur son bateau, il s'était employé à lui montrer l'étendue de son pouvoir et de sa fortune. Fine mouche, Evguenia avait refusé de coucher avec lui alors même qu'il lui promettait un manteau de fourrure, un collier de diamants et presque tout ce qu'elle désirait en contrepartie. Ce qu'elle voulait, c'était qu'il l'épouse, et elle avait fini par obtenir gain de cause.

Faute d'être assez versée dans les pratiques de la haute société, cependant, elle n'avait pas su négocier un bon contrat de mariage – raison pour laquelle elle n'était à présent que « la femme d'un homme riche ». Certes, cela valait mieux que d'être pauvre. Elle bénéficiait d'un crédit illimité dans toutes les boutiques de Monaco, Cannes, Paris, Londres et New York et pouvait s'offrir presque autant de vêtements griffés et de joyaux qu'elle le souhaitait, mais Solis lui fixait certaines limites – même si elle disposait d'une large marge de manœuvre. Lui aussi était futé, et il avait compris que pour la garder il devait soigneusement mesurer la liberté qu'il lui octroyait : il lui avait donc fait cadeau d'une Ferrari, mais pas d'un jet privé. D'un manteau en zibeline, mais pas de sa propre maison.

N'importe quelle femme aurait estimé qu'Evguenia était parvenue à ses fins. Elle, pourtant, raisonnait de façon plus pragmatique. Son but visait à soutirer autant d'argent que possible à Laurent Solis, car Dieu seul savait quand il se lasserait d'elle. Après tout, il en était à son cinquième mariage. Evguenia avait donc conscience que son temps était compté et qu'il lui fallait agir vite.

Elle avait commencé discrètement son petit business avec les vêtements qu'elle achetait lors des défilés de mode à Paris et Milan et qu'elle écoulait aussitôt, en général à moitié prix. Au rythme où elle dépensait, elle avait ainsi accumulé un joli magot sur son compte en banque. Elle s'était aussi offert quelques voitures de luxe, avant d'avouer à Solis avec une moue mutine que celles-ci ne lui plaisaient plus, finalement. Ayant pris soin de les faire mettre à son nom, elle avait pu ensuite les revendre et encaisser le montant des transactions. Puis elle était passée à la vitesse supérieure, procédant de même avec les bijoux, sans rien dire à Solis cette fois. Elle veillait juste à garder les plus importants, parmi lesquels des diamants, afin de pouvoir les arborer dès qu'il souhaitait la voir en grand apparat, soucieuse de le leurrer au quotidien tout en se faisant plaisir à elle-même. Du reste, ces parures valaient autant à ses yeux que de l'argent bien placé.

Solis n'était toutefois pas né de la dernière pluie, et il pouvait se montrer dangereux. Evguenia savait qu'elle devrait tôt ou tard mettre un terme à ses « menus larcins ». Seulement, les millions qu'elle avait détournés ne lui suffisaient plus désormais. Elle aspirait à être riche, très riche, et à se libérer de son mari. Elle ne plaisantait pas lorsqu'elle avait parlé de le pousser dans la mer par une nuit sans lune. N'était-ce d'ailleurs pas dans la région que le magnat de la presse Robert Maxwell avait été retrouvé noyé ? Mais avant de passer à l'acte, elle tenait à s'assurer qu'elle hériterait bien de la plus grosse partie de sa fortune.

C'était à ce moment-là qu'elle avait rencontré Patrick Laforêt et décidé de lier son destin au sien. Son plan était au point à présent. Bien sûr, elle avait compris que Lola seule n'expliquait pas les réticences de son amant à faire ce qu'elle lui demandait. Cet horrible hôtel Riviera le freinait au moins autant que sa femme, tout ça parce que son père et son grand-père y avaient vécu avant lui ! Le sentimentalisme demeurait une notion étrangère à Evguenia. Une fois la bâtisse détruite, le terrain serait vide de tout souvenir familial. Exit aussi Lola, qui n'aurait plus de travail. Il ne serait pas compliqué de la faire disparaître ensuite. Peut-être pourrait-elle s'en débarrasser en même temps que de l'hôtel. Elle n'avait qu'à porter le premier coup, Falcon se chargerait du reste.

Continuant à ignorer Solis, Evguenia monta les marches menant à la piscine et jeta en chemin son paréo. Il le ramassa, hypnotisé par le mouvement de ses jambes, la douce courbe de ses fesses, le renflement délicat de ses seins lorsqu'elle ôta son bikini. Comme Patrick, il porta l'étoffe à son nez afin de respirer son parfum.

Evguenia sentait son regard sur elle, semblable à celui d'un vautour devant sa proie. Elle prit la pose un instant – il payait pour, après tout – puis effectua un plongeon parfait dans le bassin en marbre.

51

Mlle N

Mlle Nightingale avait échoué. La scène s'était déroulée trop vite pour ses yeux fatigués et elle n'avait pu déchiffrer que la partie de la plaque indiquant que la Ducati était immatriculée en Italie. Chagrinée par ce qu'elle considérait comme un manquement à son devoir, elle retourna à Saint-Tropez.

Un soupir de soulagement lui échappa lorsque l'hôtel Riviera surgit au bout de l'allée. Il lui semblait rentrer à la maison, songea-t-elle alors qu'elle se garait sous le liseron bleu, à côté de la vieille 2 CV de Lola. Les autres voitures étaient parties, mais elle avait dit au revoir à tout le monde avant de s'absenter, promettant même à Red et Jerry Shoup de leur rendre visite en Dordogne, et à M. et Mme Lune-de-Miel de garder le contact avec eux. L'été avait été très agréable cette année, les pensionnaires charmants, la vue sublime, et Lola aussi gentille et attentionnée que d'habitude. La seule ombre au tableau était venue du couple Solis, ainsi bien sûr que du mystérieux Patrick – lequel n'avait plus rien de mystérieux à présent. Non seulement il était vivant, mais il conduisait une moto hors de prix. Quand Lola et Jack sauraient ça...

Mlle N enleva son chapeau et pénétra dans le hall silencieux. L'hôtel serait fermé pour travaux durant une semaine, l'avait avertie son amie, bien qu'il n'eût en réalité besoin que d'un bon nettoyage et d'une couche de peinture çà et là.

— Hou ! hou ! cria-t-elle. Lola, c'est moi !

Seul le silence lui répondit. Mlle N sortit sur la terrasse, intriguée par l'odeur métallique qui flottait dans l'air.

— Hou ! hou !

Toujours rien. Lola devait être chez elle en train de faire une sieste bien méritée. Elle hésita un instant à aller la réveiller, puis jugea sa découverte trop importante pour ne pas lui en faire part aussitôt.

Alors qu'elle passait la haie de lauriers-roses, elle remarqua un carré de terre fraîchement retournée et une fleur qui se fanait dessus, faute d'avoir été arrosée. Bizarre, pensa-t-elle. Pourquoi Lola l'avait-elle laissée flétrir après s'être donné la peine de la planter ?

— Lola ?

Elle toqua contre la porte-fenêtre, sans obtenir de réponse. Son amie ne devait pourtant pas être loin puisque sa voiture se trouvait là. La porte n'étant pas verrouillée, elle entra et constata que la maison était vide.

242

Épuisée, elle s'assit sur le canapé de la galerie. Elle qui mourait d'impatience de divulguer sa nouvelle devrait patienter encore un peu... Au bout d'un moment, pourtant, elle se redressa. Inutile de perdre son temps ici, il valait mieux qu'elle aille prendre un bain et se changer. Elle s'installerait ensuite sur la terrasse jusqu'au retour de Lola.

Mlle N remontait le sentier quand elle sentit de nouveau cette drôle d'odeur dans l'air. Elle s'arrêta pour la renifler et aperçut soudain une fumée noire qui s'élevait au-dessus du toit de l'hôtel.

— Ô mon Dieu ! Au feu ! s'écria-t-elle.

Mais il n'y avait personne pour l'entendre. Les jambes tremblantes, elle courut vers la cuisine, où des flammes léchaient déjà la porte et les fenêtres. Elle retraversa alors la terrasse pour rejoindre le vestibule, que l'incendie n'avait pas encore gagné, et appela les pompiers.

— Au feu, lança-t-elle en maîtrisant sa panique jusqu'à ce qu'elle se soit fait comprendre. Il y a le feu à l'hôtel Riviera, sur la route de Ramatuelle. Ça vient de la cuisine.

52

Lola

Nous revenions de Saint-Tropez à bord du canot à moteur de Jack quand j'ai entendu la sirène des pompiers – ce qui n'est jamais bon signe dans une région où les incendies ont dévasté des milliers d'hectares. Les camions semblaient arriver de toutes parts, aussi ai-je mis ma main en visière au-dessus de mes yeux pour étudier la côte, jusqu'à ce que je repère le nuage de fumée noire porté par le vent vif qui soufflait ce jour-là.

— Ça a l'air sérieux, a remarqué Jack.

J'ai froncé les sourcils, soudain inquiète. Sitôt en vue de l'hôtel, nous avons discerné les flammes qui s'échappaient des fenêtres de la cuisine.

— C'est chez moi ! ai-je hurlé.

Mais déjà, Jack avait mis les gaz.

J'ai sauté à terre avant même qu'il ait eu le temps d'arrimer le bateau et, les yeux brûlés par les cendres qui pleuvaient sur moi, j'ai foncé vers la terrasse. Un sapeur-pompier m'a fait signe de reculer d'un air furieux.

— Ne restez pas là !

— Il faut sauver l'hôtel, l'ai-je supplié, paniquée. Oh, s'il vous plaît...

— Chère madame, on fera de notre mieux. Pour le moment, c'est trop risqué de traîner par ici – les arbres peuvent s'embraser d'une minute à l'autre. Reculez !

Mlle N est alors apparue en courant.

— C'est moi qui ai découvert l'incendie et qui ai donné l'alerte, m'a-t-elle expliqué entre deux quintes de toux. Malheureusement, Scramble est introuvable.

D'abord Scramble, et maintenant ça, ai-je pensé avec abattement. J'ai pourtant passé un bras autour des épaules de Mlle N pour la réconforter.

— Merci, mais il était déjà trop tard pour elle.

Parce qu'on nous criait encore de partir, je lui ai pris le bras et, sans un regard en arrière, je l'ai entraînée en hâte jusqu'au rivage, d'où nous avons rejoint le sloop afin d'observer la scène. Deux avions ont déversé une eau teintée de rouge sur le toit et les environs de l'hôtel. Il aurait suffi d'une simple étincelle soufflée par le vent pour que le feu se propage le long de la côte, traverse la route et embrase les collines.

Quelques heures plus tard, tout était fini. Tandis que les pompiers fouillaient les décombres, essuyaient leurs visages noircis, remballaient leurs lances et échangeaient des commentaires en se désaltérant, nous sommes retournés à terre constater les dégâts. Ma belle cuisine était fichue. Ébranlée, j'ai serré la main de tous ces hommes et les ai remerciés d'avoir évité un désastre. Je ne les oublierais jamais.

Leur chef s'est entretenu avec moi à l'écart. Selon lui, il s'agissait d'un incendie criminel car le sol autour de la cuisine avait été arrosé d'essence. Connaissais-je une personne susceptible de commettre un tel acte ?

Je l'ai dévisagé, muette. Oh oui, j'en connaissais même plusieurs – Giselle Castille, Evguenia Solis et Jeb Falcon, pour ne citer qu'eux parmi les gens qui me pourrissaient la vie depuis quelques mois.

— Je suis désolé, madame, a-t-il conclu, mais c'est maintenant à la police de prendre le relais.

53

La semaine suivante a été un cauchemar. Outre que j'ai été entendue plusieurs fois par les inspecteurs, Mercier a fait sa réapparition et la piste criminelle a été confirmée. Quelqu'un avait déversé de l'essence par terre puis laissé la gazinière allumée jusqu'à ce que tout explose.

La cuisine était détruite et la fumée avait endommagé le reste de l'hôtel. J'ignorais si l'assurance couvrirait la totalité des dommages, mais la compagnie freinait pour l'heure la procédure d'indemnisation – sûrement jusqu'à ce que je sois lavée de tout soupçon. La police n'avait ni indice, ni témoin, ni preuve. Déjà suspectée d'avoir tué mon mari, je l'étais à présent d'être une pyromane. Qui me croirait si j'accusais la femme de Solis d'avoir mis le feu à mon hôtel parce qu'elle voulait m'en expulser ? À moins que ce ne soit Giselle Castille pour récupérer Patrick ? Ou Jeb Falcon, sur ordre de Laurent Solis ?

La nouvelle que nous a ensuite annoncée Mlle N, une fois qu'elle a été remise de son choc, nous a fait l'effet d'une bombe.

— C'était Patrick, ma chère, j'en suis certaine. Vous n'avez plus à vous inquiéter d'être inculpée pour meurtre, ça ne tiendrait pas la route. Votre mari se porte comme un charme.

J'ai d'abord éprouvé du soulagement à le savoir en vie, puis la colère a pris le dessus et la même grande question est revenue me tarauder : *pourquoi ?*

— Il y a une femme derrière tout ça, a décrété Mlle N. Dans le cas de Patrick, c'est la seule explication possible. Et puisque Giselle semble ignorer où il se cache, je pencherais pour Evguenia Solis.

— Mais il ne la connaît pas !

— En êtes-vous sûre ?

Elle avait raison, rien ne me permettait de l'affirmer.

— Si Evguenia trempe dans cette histoire, alors Patrick joue un jeu très dangereux, a ajouté Mlle N.

Elle a donné à Jack tous les renseignements qu'elle avait notés sur la Ducati, non sans s'excuser de ne pas pouvoir lui préciser le numéro de la plaque.

— J'ai peur d'avoir perdu mes réflexes d'antan, mais interrogez donc les concessionnaires de la région afin de voir lequel d'entre eux a vendu récemment une 748S gris mat avec des jantes rouges – un modèle superbe, d'ailleurs. Tom l'aurait adoré… De mon côté, il est temps que je rentre chez moi. J'ai discuté hier soir avec Mme Wormesly qui m'a dit que Little Nell devenait insupportable. Cette chienne est trop gâtée ! Enfin, je suis sûre que vous vous en sortirez très bien tous les deux, a-t-elle déclaré en nous couvant d'un regard chaleureux. Et je serai toujours joignable par téléphone au cas où.

— Vous devez vraiment partir ? ai-je demandé, avant de me ressaisir, consciente de mon égoïsme. Suis-je bête ! Bien sûr que oui. Vous avez votre maison, votre yorkshire vous attend, et les jours passent si vite que Noël arrivera sans qu'on s'en rende compte.

— Pourquoi ne viendriez-vous pas avec moi, mon enfant ? m'a-t-elle proposé, comme si j'avais été l'une de ses anciennes élèves, une âme en peine dont il aurait fallu prendre soin. Je peux vous héberger. Ça me ferait très plaisir d'avoir un peu de compagnie, et vous m'aiderez à gâter Little Nell encore plus. Et puis, vous découvrirez le Blakelys Arms. On y sert une très bonne bière au sirop de citron vert, et la tourte à la viande de Mme Wormesly est un régal.

— Non, c'est impossible, ai-je refusé, bien qu'amusée par cette idée. Je dois rester ici pour m'occuper de l'hôtel.

— Et pourquoi pas ? est intervenu Jack. Tu as grand besoin de repos, et les travaux de réparation ne démarreront pas tant que tu n'auras pas reçu le chèque de la compagnie d'assurances.

— Et Patrick ?

— Je m'en charge. Je t'appellerai dès que j'aurai du nouveau à ce sujet. De toute façon, je vais être très pris durant les prochaines semaines, dans la mesure où mon bateau endommagé m'obligera à faire l'aller-retour avec les États-Unis.

Je les ai fixés tour à tour, mon amie et mon amant, partagée entre les deux.

— Vous venez, a décidé Mlle N.

C'est ainsi que je l'ai accompagnée à Blakelys.

54

Evguenia

Evguenia Solis faisait route vers Menton au volant d'un imposant 4 × 4 Hummer. À son côté, quelque peu à l'étroit dans cet habitacle luxueux mais bas de plafond, se tenait Jeb Falcon. Agacée par un camion qui lambinait trop à son goût, elle écrasa l'accélérateur et se rabattit si brusquement devant lui que Falcon agrippa les bords de son siège en jurant.

— Trouillard, lui jeta-t-elle d'un ton glacial.

— Putain, Evguenia, y a pas le feu au lac ! pesta-t-il alors qu'elle continuait à semer les véhicules les uns après les autres sur l'autoroute A8.

— Surtout, pas de risque inutile, c'est ça ta devise, hein, Falcon ? se moqua-t-elle. Tu n'as toujours pas compris que tu mourras un jour, quoi qu'il arrive ? Dommage que tu n'aies pas brûlé en même temps que l'hôtel Riviera. Tu as drôlement raté ton coup !

Il se contenta de scruter la route en silence. Tout était la faute de Patrick... Non seulement il n'avait pas effectué sa part du boulot, mais il ne s'était même pas déplacé. Quant à Lola, pourtant censée être seule à l'hôtel cet après-midi-là, elle était restée introuvable.

Falcon détestait Evguenia Solis de toute son âme, au point de maudire le jour où il l'avait rencontrée et était devenu son garde du corps. Il courait droit à la catastrophe avec elle. Déjà, elle avait chamboulé sa vie. Laurent Solis le payait pourtant bien, bon sang, alors pourquoi s'était-il laissé soudoyer par sa femme ? Parce qu'il l'avait surprise avec Patrick à Menton et que, pour l'amener à se taire, elle lui avait offert une somme telle qu'il n'avait pu la refuser. Voilà pourquoi. Il jouait sur deux tableaux à présent, en travaillant à la fois pour Solis et pour Evguenia – et en les détestant autant l'un que l'autre.

— Tu ne vaux pas mieux qu'une pute, Falcon, l'insulta Evguenia comme si elle avait lu dans ses pensées. Toujours disponible du moment qu'on aligne assez d'argent sur la table. C'est pour ça que tu es ici aujourd'hui. Et c'est pour ça aussi que tu ne peux pas aller raconter à mon mari ce que tu as découvert. Tu signerais ton arrêt de mort en plus du mien. Tu es obligé de marcher avec moi, Falcon, ne l'oublie pas.

— Je t'emmerde, grogna-t-il.

— Ton vocabulaire est un peu limité, soupira-t-elle.

Elle sortit à Menton et suivit la route habituelle jusqu'à une modeste villa perchée dans les collines.

— Viens me chercher à trois heures, et ne sois pas en retard, lui ordonna-t-elle, avant de descendre du 4 × 4 et de s'éloigner sans même un regard vers lui.

Écumant de colère, Falcon réfléchit à peine.

— Evguenia !

— Quoi ? fit-elle avec impatience.

— Il y a une chose que tu dois savoir.

L'inflexion de sa voix la stoppa net.

— Quoi ? répéta-t-elle en revenant vers la voiture, alors qu'il allait s'installer à sa place au volant.

— Ça concerne ton petit ami… Il se débrouille plutôt bien, au casino de San Remo. Tantôt il gagne, tantôt il perd – mais tout ça avec ton argent.

Elle le fixa sans un mot.

— Menteur, l'accusa-t-elle enfin.

— Pose-lui la question, et tu verras.

— Si tu t'es fichu de moi, je te tuerai de mes propres mains, le menaça-t-elle après quelques secondes d'hésitation.

Falcon ne put réprimer un sourire. Il avait repris l'avantage dans la guerre qu'ils se livraient à coups de piques.

— Oh non, Evguenia ! Tu as trop besoin de moi. À qui d'autre pourrais-tu demander de brûler des hôtels, de mentir à ton mari et de t'aider à concrétiser tes projets ? À personne, ma petite. Mais je ne continuerai qu'à condition d'être assez payé. Ne l'oublie pas. (Il claqua la portière et démarra.) À tout à l'heure !

— J'ai Patrick, lui cria-t-elle, bien qu'il fût déjà trop loin pour l'entendre. Lui m'aidera ! Tu ne me sers plus à rien !

L'intéressé apparut à la porte au même moment.

— Que se passe-t-il ? Pourquoi tout ce raffut ?

Evguenia haussa les épaules et s'engouffra dans la villa, qu'elle examina d'un air dégoûté.

— Je déteste cet endroit, déclara-t-elle. J'en ai assez d'agir en cachette, c'est insupportable. Il est temps qu'on bouge.

Pas de chance, songea Patrick. Elle était dans un de ses mauvais jours...

— Allons au lit, chérie, la cajola-t-il.

— Tu es au courant pour l'incendie ?

— Quel incendie ? s'enquit-il, alors qu'il l'entraînait vers la chambre en l'embrassant.

— Celui de l'hôtel Riviera.

Cette annonce lui fit l'effet d'une douche froide.

— *Qu'est-ce que tu dis ?*

— L'hôtel a pris feu. Il n'en reste plus rien.

Il la regarda comme s'il n'en croyait pas ses oreilles, puis ses traits se tordirent sous le coup de la fureur. Effrayée, Evguenia recula d'un pas, mais il l'attrapa par les épaules.

— *Lola*, siffla-t-il. *Qu'est-ce que tu lui as fait ?*

Elle rejeta en arrière ses longs cheveux blonds.

— J'aurais dû m'en douter, grinça-t-elle. Il n'y a vraiment qu'elle qui compte. Tu ne penses même pas à ce que moi, je fais pour toi. Tout ce qui t'intéresse, c'est Lola. Et aussi de flamber mon argent au casino.

Il la repoussa et s'approcha de la fenêtre, par laquelle il contempla le carré de jardin à l'abandon.

— Elle est blessée ? la questionna-t-il d'un ton posé, dont la violence n'échappa cependant pas à Evguenia.

— Non, ta *chère* Lola est en pleine forme. Seulement elle va devoir quitter ton *cher* petit hôtel maintenant, parce qu'il a été réduit en cendres.

Patrick demeura immobile. Il ne tenait pas à lui montrer son soulagement.

— Il faudra pourtant bien se débarrasser d'elle, poursuivit Evguenia, revenant à la charge, encore et toujours. C'est elle ou moi, Patrick. Tu le sais depuis le début. Et l'argent aussi, c'est moi. Tu le sais également. Après tout, un joueur a besoin d'être renfloué en permanence, n'est-ce pas ?

Il se retourna et la découvrit allongée sur le lit, bras écartés.

— On ne peut pas continuer ainsi, chéri, murmura-t-elle d'une voix sensuelle. Nous sommes faits pour autre chose que des après-midi volés dans une villa miteuse. On mènera la grande vie partout où on voudra, toi et moi. (Ses yeux verts se rivèrent aux siens.) Le monde sera à nous.

Patrick saisit la main qu'elle lui tendait. Tous deux s'affrontèrent du regard et de longues secondes s'écoulèrent avant qu'il la prenne dans ses bras.

— Bon Dieu, Evguenia, grogna-t-il.

Elle soupira d'aise. Il s'en était fallu de peu, mais elle avait gagné.

55

Lola

Une fine bruine nous enveloppa à notre arrivée en gare d'Oxford.

— Rien que de très normal, a commenté Mlle Nightingale lorsque nous sommes descendues sur le quai en même temps qu'une centaine d'autres personnes, visiblement toutes très pressées.

J'ai agrippé sa grosse valise – laquelle faisait presque figure de pièce de collection – ainsi que ma petite Samsonite à roulettes et, ainsi chargée, je l'ai suivie dans la rue.

— Ah, vous voilà, mademoiselle Nightingale ! s'est exclamée une voix d'homme derrière nous. (Nous avons fait volte-face et découvert un individu barbu de forte carrure qui essuyait la pluie sur ses lunettes.) Quel plaisir de vous revoir ! J'aurais juste préféré vous accueillir sous un beau soleil.

— J'ai l'habitude, Fred, a répondu Mlle N en lui serrant la main. Il pleut toujours à mes retours de vacances. Je vous présente Lola March Laforêt, une amie de France – via la Californie. Lola, voici Fred Wormesly, gardien de Little Nell, du Blakelys Arms et de la plupart des secrets du village.

Fred a éclaté d'un rire tonitruant et s'est emparé de nos valises pour nous guider vers une Volvo bleu foncé arrêtée sur le parking de la gare.

— Il n'y en a plus beaucoup à Blakelys, a-t-il fait remarquer. Tout est calme là-bas.

— Tant mieux ! Lola et moi avons eu assez d'émotions pour un moment.

Des trombes d'eau se sont abattues sur nous pendant le trajet, si bien qu'il m'a été difficile de distinguer les célèbres collèges. Mlle N m'a toutefois promis de revenir visiter la ville avec moi « quand le temps s'améliorerait » – à quoi Fred a répliqué que les prévisions météorologiques n'étaient guère optimistes et que j'aurais peut-être mieux fait de rester dans le sud de la France.

Nous avons bifurqué à un rond-point et, presque sans transition, nous nous sommes retrouvés en pleine campagne, entourés d'épaisses haies et de prés remplis de moutons à tête noire. Des routes secondaires menaient çà et là à des villages du nom de Witney, Eynsham, ou encore Widford. Une fois passé celui de Burford, absolument charmant avec sa grand-rue bordée de pubs, de salons de thé et de boutiques pittoresques, nous sommes arrivés à Blakelys.

— Enfin ! a murmuré Mlle N.

Quelques instants plus tard, nous terminions notre course devant le Blakelys Arms, une jolie bâtisse en pierre, assez basse, qui affichait ses joyeuses armoiries sur une enseigne agitée par le vent.

À l'extérieur, un tableau noir indiquait :

PUB. *Menu du jour : macaronis au fromage, pain maison, tourte à la viande (la meilleure de l'Oxfordshire).*

Mlle N est descendue de voiture, quelque peu ankylosée par le voyage.

— Voilà notre repas de ce soir, m'a-t-elle informée en pointant le dernier plat. Seigneur, comme c'est bon de rentrer chez soi ! (Elle a levé son visage vers le ciel d'où tombait toujours une douce pluie fraîche.) Ma Little Nell doit m'attendre.

— Oh, que oui ! a acquiescé Fred, qui m'a ensuite ouvert la portière. Bienvenue à Blakelys, madame March.

Nous avons pénétré dans une salle aux murs et au plafond zébrés de vieilles poutres noires. Un feu brûlait dans l'énorme cheminée, devant laquelle deux vieux messieurs en pantalon de velours côtelé, veste de tweed et casquette assortie buvaient une pinte de bière. Ils ont salué Mlle N sitôt qu'ils l'ont reconnue.

Little Nell avait déjà sauté dans les bras de sa maîtresse et lui léchait le visage quand une femme blonde à l'allure imposante a émergé de derrière le bar.

— Enfin vous voilà, mademoiselle Nightingale ! C'est un plaisir de vous avoir de nouveau parmi nous !

— Je suis ravie moi aussi de vous retrouver, Mary, a-t-elle répondu. Merci d'avoir pris soin de ma Little Nell – même si vous l'avez trop gâtée, comme d'habitude. Regardez-la, on dirait un vrai petit cochon.

Mary Wormesly a éclaté de rire.

— Elle aime la bière, celle-là ! Vous avez intérêt à vite la ramener chez vous pour la faire dessoûler. Mais vous mangerez bien quelque chose ? Vous devez mourir de faim après un si long trajet.

Mlle N a accepté et commandé deux parts de tourte ainsi que deux bières au sirop de citron vert. Après quoi, nous nous sommes installées confortablement sur une banquette à haut dossier qui semblait avoir autrefois appartenu à une église. Nichée entre nous – avec ordre de rester sage si elle ne voulait pas avoir à le regretter –, Little Nell a reniflé ma main, y a donné un coup de langue puis s'est assise d'un air très satisfait.

— C'est agréable comme endroit, ai-je déclaré en sirotant ma bière, apaisée par le spectacle des bûches qui flambaient dans la cheminée et des deux vieillards occupés à présent à jouer aux dominos.

— Il est encore tôt, m'a prévenue Mlle N. Le bar se remplira plus tard, surtout avec un temps pareil.

Sa remarque m'a fait frissonner d'appréhension. Un temps pareil... Une soirée grise, froide et pluvieuse, loin de chez moi et du soleil... Loin de Patrick, aussi. Mais j'ai chassé ces pensées pour attaquer ma tourte, dont la pâte croustillante et la sauce épaisse ont ravi mes papilles pourtant très critiques.

— Exactement ce qu'il nous fallait ! s'est exclamée Mlle N.

Elle en a tendu un morceau à Little Nell – laquelle, pour un yorkshire terrier, présentait en effet une certaine ressemblance avec un petit cochon.

— Je sais que je ne devrais pas, m'a-t-elle confié, mais Nell a été traitée comme une reine ici et je n'ai pas envie de passer tout de suite pour une rosse. Il faudra que je la réhabitue à manger une nourriture plus appropriée et, croyez-moi, ça ne se fait pas du jour au lendemain. Je le sais parce que je recommence chaque année, a-t-elle ajouté, un sourire espiègle aux lèvres. À mon avis, elle attend ses vacances au Blakelys Arms avec autant d'impatience que j'attends les miennes à l'hôtel Riviera.

Le moment est ensuite venu de partir. Repues mais fatiguées, nous avons pris congé et Fred a retraversé le village pour nous conduire au cottage de Mlle N – maison typique des Cotswolds avec ses murs de pierre, son toit en pente, son jardin désordonné ceint d'un muret et ses fenêtres cintrées aux carreaux en forme de losange. Si l'on ajoutait à cela la porte en bois, les quelques roses jaunes encore fleuries qui encadraient l'appentis servant de garage, les collines boisées à l'arrière-plan et le petit ruisseau que nous avions franchi un peu plus tôt, j'avais sous les yeux un véritable décor de carte postale.

— L'intérieur a des allures de pot-pourri, m'a avertie Mlle N en déverrouillant la porte. C'est un mélange de style élisabéthain, de gothique victorien et de tout ce qu'il y a eu entre les deux.

Elle m'a introduite dans un salon encombré de bibelots : s'y trouvaient pêle-mêle des trophées de polo, des photos sépia d'hommes à l'air majestueux posant sur un perron avec leur fusil de chasse et plusieurs faisans abattus à leurs pieds, des portraits par dizaines ; un service à thé chinois de toute beauté exposé dans une vitrine... Et puis surtout des livres. Il y en avait partout, sur les étagères encastrées dans les murs, par terre, sur les chaises, contre les lampes.

— Ma petite bibliothèque, a annoncé Mlle N, très modeste eu égard à tous les ouvrages qu'elle avait amassés là. J'aime beaucoup lire les soirs d'hiver.

Deux canapés en chintz rose faisaient face à la cheminée. Une personne attentionnée – probablement Mary Wormesly – avait allumé du petit bois, si bien qu'un feu vif crépitait dans l'âtre. Un tapis d'Orient dans des tons rouges et bleus réchauffait les larges lames du parquet sur lequel étaient éparpillés des paniers remplis de pelotes de laine ainsi que des jouets pour chien et des os à ronger. On sentait là tout l'amour et le désordre caractéristiques des maisons où il fait bon vivre.

Dans la cuisine, un fourneau rouge vif dégageait une douce chaleur juste à côté de la couche de Nell – un coussin bleu sur lequel elle s'est aussitôt allongée. La pièce, éclairée d'une agréable lumière tamisée, était meublée de quelques vieux fauteuils en cuir rapportés de l'ancien manoir des Nightingale et d'une longue table en pin autour de laquelle huit personnes auraient pu manger à l'aise.

Du couloir entre le salon et la cuisine partait un escalier aux murs couverts de photos de classe – une pour chaque année que Mlle N avait passée à la tête de son école. Nous sommes montées dans sa chambre, à l'étage, où trônait un étonnant lit chinois, laqué rouge et fermé sur les côtés à la manière d'un placard. Mlle N m'a raconté y avoir dormi lorsqu'elle était enfant, à Shanghai, et j'ai ainsi appris avec surprise qu'elle était née dans cette ville. Comme pour me le prouver, elle a soulevé le couvercle d'une malle en cuir regorgeant de robes chinoises traditionnelles, d'éventails et de ces petites chaussures que portaient les femmes aux pieds bandés.

Puis nous avons gravi quelques marches encore et j'ai découvert cette fois une chambre mansardée dotée de deux lucarnes, avec un lit recouvert d'un édredon vert et blanc, une adorable coiffeuse en noyer avec un miroir ovale, une chaise confortable et une table de nuit sur laquelle étaient empilés des livres : *Justine*, de Lawrence Durrell, les poèmes d'Edna St. Vincent Millay, une biographie de Fred Astaire – une édition originale et dédicacée par l'artiste –, une autre des Nightingale et quelques romans contemporains.

— Quel choix ! ai-je souri.

— Les nuits sont parfois longues, ma chère.

Pour finir, elle m'a montré une pièce attenante au plafond si incliné qu'il était impossible de s'y tenir debout sans se cogner la tête contre l'énorme poutre en chêne qui la traversait en son milieu.

— Et voilà votre salle de bains.

— Le rêve ! J'ai l'impression d'être dans une maison de conte de fées !

Elle a ri et répliqué que non, pas tout à fait, avant de redescendre nous préparer du thé. Le feu qui pétillait joyeusement dans la cheminée répandait dans la pièce une merveilleuse lueur orangée. Nous nous sommes réchauffées devant en sirotant notre boisson jusqu'à ce qu'il soit l'heure d'aller nous coucher. J'ai alors embrassé Mlle N.

— Comment pourrai-je jamais vous remercier ? Tout ici est si charmant, si différent...

— Il est bon de prendre du recul quand une situation devient difficile, m'a-t-elle interrompue. Cela permet parfois de voir nos problèmes sous un nouvel angle.

Un peu plus tard, blottie dans mon lit, la tête sur un oreiller dont la taie fleurait bon la lavande, j'ai réfléchi à ma vie, à mes tracas et à Patrick.

Je me suis demandé si c'était lui qui avait incendié l'hôtel. Était-il impliqué dans la mort de Scramble ? Avait-il une liaison avec Giselle ou Evguenia Solis ? Je ne disposais d'aucune réponse à ces questions, mais une chose était sûre : j'avais maintenant peur de lui car j'ignorais de quoi il était capable.

Pour l'heure cependant, bien au chaud dans ce nid douillet, avec les rideaux tirés, la pluie qui battait les carreaux et le duvet remonté jusque sous le menton, je me sentais en sécurité.

56

Mlle N

Assise devant la cheminée, Mollie Nightingale contemplait les flammes en se remémorant le passé. Rentrer chez elle après une longue absence faisait toujours resurgir dans son esprit des souvenirs de l'ancien temps, quand M. Hemstridge, le jardinier en chef du manoir, vivait encore dans cette maison et qu'elle lui rendait visite sur son poney. Elle s'arrêtait pour discuter avec sa femme et en profitait chaque fois pour boire un verre de lait fraîchement trait. Encore chaud, il sentait presque aussi bon que le cake au citron de Mme Hemstridge – cake dont elle raffolait et qu'elle était toujours certaine de trouver dans son garde-manger.

— Qu'elle est loin, cette époque, soupira Mlle N devant Little Nell, qui, peut-être parce qu'elle anticipait une longue soirée, grimpa s'installer sur ses genoux. Tu n'as pas connu Blakelys Manor.

Sans aller jusqu'à parler de château, c'était une respectable demeure du XVIIe siècle, pleine de recoins et entourée d'un parc de plusieurs hectares.

La propriété avait englobé davantage de terrain à l'époque du grand-père de Mollie, sir Nightingale. Anobli pour services rendus à la Couronne, celui-ci devait en réalité son titre à la somptueuse réception qu'il avait organisée en l'honneur de la reine Alexandra après que celle-ci, de passage dans la région, eut consenti à inaugurer la fête annuelle du village. Par la suite, une série de quatre morts rapprochées, accompagnées chaque fois de lourds frais de succession, avaient eu raison de la fortune familiale.

Le père de Mollie était devenu l'assistant du consul britannique de Shanghai, raison pour laquelle elle était née et avait grandi là-bas, dans le quartier anglais de la concession internationale. Les servantes chinoises chargées de s'occuper d'elle l'adoraient, et c'était une chance, dans la mesure où ses parents la laissaient souvent seule courir les bals du gouverneur à Hong Kong, descendre le Yang-tsê kiang en voilier avec des amis, ou s'amuser dans les night-clubs raffinés de Shanghai.

Même lorsqu'ils étaient chez eux, Mollie restait parfois plusieurs jours sans les voir. Son père était « trop occupé », et sa mère préférait faire les boutiques, prendre le thé avec des amies dans les salons des grands hôtels ou danser toute la nuit. À plusieurs reprises, tous deux étaient retournés en Angleterre en la confiant à ses nounous, de sorte qu'elle avait peu à peu considéré ces dernières comme de vraies mères.

Mollie avait prononcé ses premiers mots en mandarin. Des années durant, elle n'avait même parlé que cette langue, apprise grâce aux histoires de fantômes que les domestiques lui racontaient le soir avant qu'elle s'endorme. C'était eux aussi qui lui avaient enseigné le respect des aînés et la manière de se courber jusqu'au sol pour saluer – ce dont ses parents s'amusaient tellement qu'ils l'exhibaient devant leurs invités en la surnommant à sa grande confusion leur « fille chinoise ».

Cette vie avait pris fin avec la mort de son père et son retour à Blakelys. À six ans, devoir se séparer de ses « petites mères » lui avait brisé le cœur et jamais elle n'avait pu s'habituer à l'humidité des étés anglais, ni au froid cinglant des hivers – surtout dans un manoir déjà délabré, où les rares radiateurs ne parvenaient qu'à faire fondre le givre sur la face interne des carreaux, et où les multiples feux de charbon entretenus par un ancien serviteur recouvraient tout d'une couche de poussière noire.

Une fois veuve, lady Teresa ne s'était pas souciée davantage de l'éducation de sa fille, préférant partager son temps entre la broderie, les goûters et ses « bonnes œuvres ». Enfant solitaire, Mollie passait de longues journées (et parfois la moitié de ses nuits) à lire tout ce qui lui tombait sous la main dans la bibliothèque du manoir. Parfois aussi, elle canotait sur le lac de Blakelys à bord d'un bateau qu'elle avait baptisé *Li Po*, en hommage à un poète de la dynastie Tang. Elle se rendait alors sur la petite île qui se dressait au milieu du lac – sa maison, comme elle l'appelait –, et où elle s'était construit une cabane dans les arbres. Là, au milieu des coussins volés aux canapés du salon, d'une table de fortune et d'un service à thé chinois subtilisé dans l'une des vitrines de la salle à manger, elle buvait du thé ou de la limonade en mâchonnant des biscuits, le nez plongé dans un livre.

La situation n'avait évolué que grâce à l'intervention d'une amie de sa mère. Après s'être entendu dire sans ménagement que son enfant risquait de finir asociale, lady Teresa s'était en effet décidée à l'inscrire dans un pensionnat. Là, Mollie s'était révélée très bonne élève. Elle appréciait la compagnie de ses condisciples et aimait ses cours, en particulier ceux de latin. Dès lors, sa route avait semblé toute tracée : elle avait intégré une université d'Oxford, rejoint l'enseignement et gravi les échelons jusqu'à devenir directrice – d'abord d'un modeste établissement scolaire pour filles, puis, consécration suprême pour elle, de l'école Reine-Wilhelmine.

Enfant agréable mais quelconque, elle n'avait pas changé à l'âge adulte, même s'il émanait d'elle une certaine autorité que sa mère, perplexe, attribuait à son sang bleu. À la mort de celle-ci, et une fois le manoir vendu pour payer l'impôt sur les successions, Mollie avait hérité du collier de perles de son arrière-grand-mère et de juste assez d'argent pour s'acheter un minuscule appartement près de Sloane Square, à Londres, ainsi que l'ancien cottage du jardinier de ses parents, à Blakelys.

Et ensuite, il y avait eu Tom. « Son » Tom, comme elle le désignait toujours avec affection. *Tom.* Un homme imposant, aux idées bien arrêtées et à la réserve propre aux Anglais du Nord. D'abord déconcertée, Mollie avait fini par comprendre qu'il était en réalité très timide. Timide avec les femmes, plus précisément. Elle, par contre, possédait une personnalité si forte qu'elle n'avait jamais été du genre craintif. Bizarrement, leurs tempéraments s'étaient accordés après qu'elle eut fait cette découverte.

Ils s'étaient rencontrés au bar du Royal Court Theatre, à Sloane Square, juste à l'angle de la rue où elle habitait. Tous deux assistaient ce soir-là à une représentation de *Vies privées*, pièce de Noel Coward qui comptait parmi leurs préférées à tous deux. Elle sirotait un gin-tonic, seule dans son coin, quand il l'avait bousculée. Son verre s'était renversé, il avait insisté pour lui en offrir un autre et, de fil en aiguille, ils s'étaient mis à discuter. Enfin, elle surtout, parce que Tom l'avait presque tout le temps écoutée. Puis il l'avait attendue dehors après le spectacle pour lui proposer de prendre un café avec lui – et c'était ainsi que tout avait commencé. Quatre ans s'étaient écoulés avant qu'il la demande en mariage, et six semaines plus tard elle prononçait son « oui, je le veux » dans la petite église de Blakelys. Le village au grand complet s'était déplacé pour « la fille du manoir ». Serrés sur les bancs en pin, vêtus de leurs plus beaux habits, les gens avaient évoqué avec joie l'époque où les Nightingale vivaient encore dans leur demeure familiale, tout en se réjouissant que Mollie ait enfin trouvé un mari.

L'église romane regorgeait d'iris et de jonquilles. C'était le printemps et, parce qu'il faisait encore froid, les fleurs, comme figées au faîte de leur beauté, n'avaient pas perdu une feuille. En robe de soie gris pâle et collier de perles, Mlle N arborait un bouquet de lys dont elle se rappellerait le parfum divin jusqu'à ses derniers jours.

« Eh bien ça y est, mon cher Tom ! s'était-elle écriée après.

— Oui, te voilà maintenant Mme Tom Knight », avait-il souri, très élégant dans son costume noir rehaussé par la cravate en soie grise qu'elle lui avait offerte.

Elle l'avait corrigé un peu plus tard, bien sûr. Mlle Nightingale elle était, Mlle Nightingale elle resterait. Une fois cette mise au point effectuée, et malgré leurs origines différentes, ils avaient vécu heureux ensemble. Chacun appréciait la compagnie de l'autre et l'aimait d'un amour si vrai, si fort, qu'elle ne doutait pas qu'il serait éternel.

Jusqu'au jour où Tom était mort... Après son enterrement dans le cimetière de Blakelys, Mollie avait planté sur sa tombe ses fleurs préférées – des primeroses et des jonquilles – puis, parce que la vie continuait, elle s'était résignée à son veuvage. C'est à ce moment-là qu'elle avait commencé à voyager.

Au début, seuls le souvenir de son enfance heureuse sous le soleil de Shanghai et son aversion pour les longs hivers anglais l'avaient incitée à se rendre sur la Côte d'Azur. À présent, elle y retournait pour l'hôtel Riviera. Et aussi parce qu'elle chérissait Lola comme sa fille.

La boucle était bouclée. Telle avait été la vie de Mollie Nightingale, de la Chine aux Cotswolds et des Cotswolds au sud de la France. Ce qui la ramenait à la mystérieuse disparition de Patrick et à sa non moins mystérieuse réapparition.

Que n'aurait-elle donné pour avoir Tom à ses côtés à cet instant ! songea-t-elle. Son expérience et sa connaissance de l'âme humaine l'auraient aidée à découvrir la vérité.

Bah, tant pis. Elle se débrouillerait seule pour résoudre cette énigme.

57

Jack

Assis à l'ombre des châtaigniers du café des Arts, Jack savourait comme d'habitude son café au lait et ses croissants du matin. Le mistral soufflait sur la place des Lices, presque déserte désormais, agitant les feuilles des arbres et faisant voler sur les pavés les serviettes en papier. La saison était cette fois finie. N'étaient quelques flâneurs comme lui qui ne savaient pas quand rentrer chez eux, Saint-Tropez appartenait de nouveau à ses habitants.

Certes, il aurait dû rester aux États-Unis quand son bateau avait coulé. En temps normal, il ne se serait d'ailleurs pas posé la question. Mais il y avait Lola March-Laforêt, maintenant. Comment avait-elle pu se fourrer dans un tel pétrin ? Et pourquoi se sentait-il obligé de l'aider à régler ses problèmes ?

Il commanda un double espresso dans l'espoir que la caféine lui éclaircirait les idées. Il réagissait de façon trop émotive, trop instinctive. Jamais il ne s'était autant attaché à une femme depuis Luisa.

Or, sa relation avec la jolie Mexicaine avait duré exactement trois mois. En irait-il de même avec Lola ? Bientôt, il partirait retrouver son univers, rafistoler son sloop et rassembler son équipage pour parcourir les mers du globe en quête d'aventures. Il était fait pour ça, non ? Alors, pourquoi changer ? Jack poussa un soupir et avala son café. La réponse lui échappait toujours...

Il composa le numéro du chantier sur son portable afin de s'entretenir avec Carlos. Son bateau avait été repêché dès le lendemain du naufrage et les réparations avançaient lentement.

— Tu rentres bientôt ? s'inquiéta Carlos.

— Oui, oui, lui promit-il une fois de plus.

Il raccrocha et étudia son bloc-notes, dont la première page était recouverte d'une longue liste de concessionnaires autos et motos. Tous avaient été barrés, à l'exception des deux que son ami inspecteur à Marseille venait de lui transmettre. Celui de Paris lui sembla trop éloigné, mais enfin, on ne savait jamais. Patrick se déplaçait peut-être beaucoup pour éviter d'être repéré. Quant au deuxième, il était situé à Gênes. Il décida de tenter sa chance avec celui-là.

Il appela le numéro et demanda à être mis en relation avec le directeur ou toute autre personne parlant anglais. Une attente interminable s'ensuivit, meublée par une musique rock assourdissante jusqu'à ce qu'on lui passe quelqu'un.

— *Pronto*, je peux vous aider ?

Jack se renseigna sur la Ducati. Oui, acquiesça l'Italien, il vendait ce modèle. La 748S était un engin fabuleux, la meilleure moto du monde. Seulement, elle n'était pas toujours disponible, et il fallait patienter pour en avoir une.

— Combien de temps ?

— De trois à six mois, ça dépend.

— Vous en avez beaucoup vendu ces derniers temps ?

— Beaucoup ? Ha ! J'aimerais bien, mais je n'en avais que deux.

— Et vous avez eu des acheteurs étrangers ?

— *Signore*, on ne fait pas de rabais aux étrangers, si c'est là que vous voulez en venir.

— Vous savez quoi ? Je passerai demain voir ce que vous avez.

— Il ne m'en reste plus qu'une, *signore*, et elle est déjà réservée.

— Je commanderai la même, alors. Mon nom est Jack Farrar. Je serai là demain dans l'après-midi.

Il termina son café, donna son croissant à Sale Chien, qui attendait, couché sous la table, et regagna son bateau. Moins d'une demi-heure plus tard, son fidèle compagnon courait en tous sens à bord du sloop, un gilet de sauvetage sur le dos, et Jack quittait la crique de Lola en direction de Gênes.

La capitale de la Ligurie s'était développée sur la côte en absorbant de nombreux villages de pêcheurs. Même si ce n'était pas franchement le lieu de villégiature dont il aurait rêvé par un bel après-midi ensoleillé, Jack mouilla à l'extérieur de la ville avant de gagner le vieux port dans son canot. Toujours suivi de son chien, il longea une rue peu engageante à la recherche d'un taxi, et quand enfin il en trouva un, il dut débourser quelques euros supplémentaires pour amadouer le chauffeur, qui rechignait à prendre un animal dans son véhicule.

Sans cesser de bougonner, l'homme emprunta une série de ruelles qui les menèrent à une zone où la circulation était nettement plus dense – et les gaz des pots d'échappement si asphyxiants que Jack regretta le bon air frais de la mer. Mais, qui sait, peut-être ne s'était-il pas déplacé pour rien. Son intuition lui soufflait qu'il touchait au but, et il s'était toujours fié à elle – du moins jusqu'à ce qu'elle lui fasse entrevoir la nature des sentiments qu'il portait à Lola March.

Parvenu à destination, il attacha Sale Chien à un réverbère et pénétra dans les rutilants locaux du concessionnaire. Son short, son T-shirt bleu délavé et ses vieux mocassins lui valurent un bref coup d'œil des jeunes vendeurs désœuvrés, qui ne jugèrent pas utile de se mettre en quatre pour lui. Jack se dirigea vers le bureau du directeur, dont il salua la jeune assistante avec un grand sourire avant de l'informer qu'il avait rendez-vous avec M. Mosconi. L'ayant regardé avec un peu plus d'attention que ses collègues, la jeune femme l'estima tout à fait digne d'intérêt, elle, et transmit aussitôt le message.

La cinquantaine, vêtu d'un costume rayé et de derbys à motifs perforés, M. Mosconi ne tarda pas à apparaître.

— *Buona sera*, *signor* Farrar, l'accueillit-il en lui serrant la main. J'ai peur que vous ayez fait tout ce chemin pour rien. Notre dernière Ducati est partie, et même si nous attendons une prochaine livraison, celles-là aussi sont déjà vendues.

Il introduisit Jack dans son bureau, l'invita à s'asseoir et lui tendit une large brochure.

— Laquelle vous intéresse ? s'enquit-il.

— Celle-ci, répondit Jack, le doigt sur une reproduction de la 748S. Elle a déjà trouvé preneur chez vous ?

— Oh oui, *signore*, nous en avons vendu deux il y a un mois. Une machine superbe, avec un design *magnifico* et un moteur... Oubliez les Harley : rien ne vaut une Ducati.

— Il y a une chance, à votre avis, pour que l'un de ces acquéreurs accepte de me céder la sienne ? En échange d'un bénéfice conséquent, bien sûr.

Signor Mosconi le jaugea du regard.

— Nous parlons là d'une grosse somme d'argent, *signor* Farrar.

Jack hocha la tête d'un air conspirateur.

— Je m'en doute. Mais quand on aime, on ne compte pas, et si vous consentez à m'aider, je vous garantis que je saurai me montrer généreux.

L'Italien resta silencieux quelques secondes, songeur, puis il se leva.

— Pourquoi ne discuterions-nous pas de cette affaire devant un *aperitivo*, *signor* Farrar ? Je connais un bar très agréable pas très loin d'ici.

Deux heures plus tard, Jack était de retour à bord du sloop avec son chien. Le vent était retombé, aussi fit-il démarrer le moteur pour reprendre la

275

mer, avant de mettre le cap à l'ouest, vers la reine douairière des stations balnéaires liguriennes – San Remo.

Dans sa poche se trouvaient le nom du propriétaire de la Ducati, Cosmo March, et l'adresse de l'hôtel Rossi.

58

Lola

Au bout de trois semaines passées à Blakelys, j'ai enfin commencé à m'habituer 1) à la pluie, 2) encore et toujours à la pluie, 3) au caractère très anglais de cette pluie. Si l'on exceptait la météo et le fait que Jack Farrar me manquait comme ce n'était pas permis, je me plaisais beaucoup dans ce village.

Jack m'avait donné son numéro, mais je ne l'ai pas appelé. Pour lui dire quoi de toute façon ? Salut, comment ça va ? Quoi de neuf ? *J'ai hâte de te revoir.* Non, pas question. Et puis, il m'aurait téléphoné s'il avait eu des nouvelles importantes à me communiquer. En attendant, il devait enquêter sur la Ducati et faire l'aller-retour avec les États-Unis. Il avait sa vie, lui aussi. Peut-être même avait-il rencontré une nouvelle Sugar.

De mon côté, le temps s'était suspendu dans ce paysage de rêve perdu au fin fond de la campagne anglaise. Comme Patrick, je me cachais, mais sur les terres de Mlle N, loin, très loin du sud de la

France. C'est ainsi que j'ai découvert des facettes de mon amie que je n'avais fait qu'entrapercevoir à l'hôtel Riviera. Des facettes d'une femme que je ne connaissais pas.

Les jours puis les semaines se sont succédé, gris et brumeux. J'ai envoyé à Jack des cartes de la rue principale de Burford, du Christchurch College, d'Oxford, et de Bourton-on-the-Water, avec sur chacune un message rédigé à la va-vite : *Tu ne me croiras pas, mais ce village ressemble exactement à ça. On a l'impression de remonter le temps,* ou : *On a bien mangé dans ce pub, tu aurais aimé toi aussi. J'espère que les recherches avancent au sujet de la Ducati.* Une fois, rien qu'une, j'ai écrit *Tu me manques,* et je l'ai aussitôt regretté. Après tout, lui ne m'envoyait aucune carte et ne pensait à l'évidence guère à moi.

Quand il a enfin appelé, un après-midi, j'étais sortie et c'est Mlle N qui a répondu. Il était aux États-Unis pour une affaire urgente, mais son ami de Marseille se renseignait sur les concessionnaires Ducati. Il rentrerait bientôt. Il nous embrassait toutes les deux.

« Il nous embrassait toutes les deux. » J'ai rêvé de cette phrase ce soir-là, allongée dans mon lit.

Puis le froid s'est installé et j'ai remarqué un matin qu'une fine couche de givre recouvrait les carreaux. Bien emmitouflées, Mlle N et moi nous sommes promenées sur les chemins alentour en discutant beaucoup de la vie qu'elle avait menée, ainsi que de mon passé et de mes déboires avec Patrick – mais jamais de Jack. Qu'il pleuve ou qu'il vente, nous arpentions les sentiers jonchés de feuilles, elle protégée par un ciré vert et une casquette en tweed, moi par un vieux trench-coat ayant appartenu à Tom et un chapeau de pluie imperméable. Ainsi accoutrées, les cheveux alourdis par la pluie, le nez rouge et le teint frais, nous ramassions des branches chargées de baies, telles deux vieilles filles en randonnée.

— Si seulement Jack pouvait nous voir ! me suis-je exclamée un jour, hilare, devant le spectacle que nous offrions.

Mlle N m'a jeté un regard pénétrant.

— Vous aimeriez qu'il soit là ?

— Oh, ai-je bafouillé, surprise. Oh, j'ai bien peur que oui.

Ma réponse était si typiquement anglaise que nous avons toutes deux éclaté de rire, avant de rentrer en courant sous une averse. De retour dans la cuisine, nous avons ôté nos vêtements trempés et nous sommes préparé une bonne tasse de thé – du Darjeeling, sinon rien, pour Mlle N – que nous avons bue devant le feu en nous réchauffant les pieds.

Cela ne pouvait pourtant pas durer. Les bonnes choses ont toujours une fin.

59

Le découragement s'est emparé de moi alors que nous étions attablées dans un café d'Oxford. Partant du principe que la nourriture est un remède parfait en cas de crise, je dévorais des scones tartinés de confiture à la fraise et de crème caillée. Je ne voudrais pas paraître déprimée – encore que je l'étais un peu –, mais je ne connais pas de réconfort plus efficace, à part peut-être les bras d'un homme qui vous aime.

Mlle N venait juste de me faire découvrir les trésors d'Oxford, dont le magnifique Christchurch College, où son père et son grand-père avaient été étudiants et dont elle-même était sortie diplômée des années plus tôt – trop pour qu'elle avoue combien, m'a-t-elle dit avec un sourire malicieux. Nous avions aussi vu la librairie Blackwells, admiré l'architecture de quelques cours, et même fait des provisions dans un supermarché haut de gamme aux abords de la ville –, si bien que je projetais ce soir-là de nous mitonner un bon petit repas arrosé d'une bouteille de côtes-du-rhône.

Nous nous accordions cette pause quand soudain Mlle N a reposé son scone.

— Ô mon Dieu ! Mais oui, c'est ça !

— Il y a un problème ?

— Au contraire, m'a-t-elle assuré, les yeux brillants de plaisir. Ma chère, je pense avoir deviné où se trouve Patrick.

— Vous êtes sérieuse ?

— Où un joueur qui ne peut plus se montrer à Monte-Carlo a-t-il le plus de chances d'aller ?

— Je ne sais pas. Où ?

— Au casino le plus proche ! Il est situé le long de la côte et je me souviens que mes grands-parents le fréquentaient autrefois.

— De quel casino parlez-vous ?

— Celui de San Remo, voyons ! D'où la plaque italienne de la Ducati. Tout concorde !

Elle était si enthousiaste que je n'ai pu m'empêcher de sourire. Tout concordait, en effet. Nous avons donc fini notre goûter en un temps record et foncé reprendre sa Mini Cooper, qu'elle a conduite aussi vite que possible jusqu'à Blakelys. Il nous fallait prévenir Jack.

À notre arrivée, Little Nell a sauté dans les bras de sa maîtresse, mais Mlle N était trop excitée pour lui prêter attention.

— Couché, lui a-t-elle intimé d'un ton sévère en la renvoyant sur son coussin, avant de se justifier, comme si sa chienne pouvait la comprendre : Nous avons un coup de fil à donner.

L'air faussement désinvolte, je suis restée près d'elle pendant qu'elle composait le numéro, mais à peine l'ai-je entendue demander : « Jack, c'est vous ? » que mes jambes se sont dérobées sous moi à l'idée qu'il était à l'autre bout du fil. Je me suis affaissée sur un fauteuil en cuir et m'y suis roulée à la manière de Nell sur son coussin.

— Écoutez-moi, a déclaré Mlle N, souriant jusqu'aux oreilles. Où un joueur avec une moto immatriculée en Italie pourrait-il se rendre à part San Remo ? Quoi ? Vous y êtes déjà ? (Elle s'est tue un moment.) Ah, je vois, la Ducati. Oui. Oui, sans problème. (Puis elle m'a jeté un coup d'œil.) Oui, elle est là. Je vous la passe, a-t-elle conclu en me tendant le combiné.

— Salut, m'a lancé Jack.

— Bonjour, ai-je réussi à répondre d'un ton jovial, alors même que je me sentais fondre rien qu'au son de sa voix. Comment vas-tu ?

— Tu me manques, m'a-t-il confié sans que je m'y attende.

— Oh, euh... je suppose qu'on mange moins bien dès que je ne suis plus là.

Mlle N a haussé les sourcils, exaspérée.

— Désolée, je plaisantais.

— Tu te plais en Angleterre ?

— Oui, la région est magnifique, et Mlle N est une hôtesse hors pair. Il faut que tu viennes lui rendre visite, son cottage semble tout droit sorti d'un conte de fées.

— Promis. Mais avant, j'ai des nouvelles à t'apprendre. Est-ce que le nom de Cosmo March t'évoque quelque chose ?

— Cosmo March ? Mais c'est celui de mon père ! *Michael Cosmo March.*

— Eh bien, Patrick s'en sert comme pseudonyme, figure-toi. Il a logé ici, à San Remo, et il ne devait pas être dans le besoin parce qu'il a occupé une suite somptueuse à l'hôtel Rossi et flambé une fortune au casino. Je l'ai raté de quelques jours. Il a fait ses valises et filé brusquement, sans laisser d'adresse.

— Tu es sûr que c'était lui ?

— La description correspond, et qui d'autre que lui connaîtrait le nom de ton père ?

— C'est vrai. (Un frisson m'a parcouru l'échine.) Il faut qu'on le retrouve, Jack. Je rentre demain par le premier avion. Où peut-on se rejoindre ?

— Je quitte tout de suite San Remo. Appelle-moi dès que tu auras tes horaires de vol. J'irai te chercher à Nice.

— Merci, ai-je murmuré.

— Je t'ai dit que tu me manquais, chérie – et à son ton, j'ai deviné qu'il souriait.

— Je suis désolée, mademoiselle N, ai-je annoncé en raccrochant, mais je dois vous abandonner.

— Je vous accompagne, a-t-elle décrété. Nous ne pouvons pas laisser Patrick nous glisser entre les doigts.

Sur quoi elle a téléphoné à Mary Wormesly pour l'avertir que Little Nell allait revenir en pension et qu'elle-même partait en France toutes affaires cessantes.

60

Ce n'est pas tant le sentiment de rentrer chez moi que celui de retrouver ma vraie place qui m'a envahie quand Jack m'a serrée dans ses bras à l'aéroport de Nice le lendemain soir. J'ai appuyé ma tête contre son torse, et nous sommes restés ainsi quelques secondes, tendrement enlacés, pendant que Mlle N s'occupait des bagages.

— Tu as l'air délicieusement anglaise, m'a-t-il murmuré – peut-être parce que j'avais jeté un pull rose sur mes épaules et que mes cheveux étaient pour une fois bien attachés, sans une mèche de travers.

— Toi aussi, tu es à croquer, ai-je rétorqué avec un grand sourire.

Puis il est allé faire la bise à Mlle N et l'a délestée de nos valises avant qu'un taxi nous emmène au port. Nous avons regagné Saint-Tropez par la mer, en compagnie cette fois de Sale Chien, dont la tête avait remplacé celle de l'aristocratique Little Nell sur les genoux de Mlle N.

Je commençais presque à aimer les bateaux.

Assis sur le pont du sloop, Jack et moi contemplions de loin les ruines de mon hôtel. Le flanc droit du bâtiment, qui abritait la cuisine, n'était plus qu'un tas de poutres calcinées et de barres métalliques tordues. La portion de toit encore intacte après l'incendie avait été démolie en raison du danger d'affaissement qu'elle présentait. Les débris s'empilaient sur la terrasse, la fumée avait noirci les murs. À côté de cela, pourtant, les bougainvillées luttaient vaille que vaille, bien qu'on fût déjà fin novembre, et le jardin affichait le même désordre végétatif que d'ordinaire.

L'hôtel avait été ma raison de vivre. Sans lui, je n'étais rien. Je n'avais plus de clients à bichonner et à qui cuisiner de bons petits plats, plus personne auprès de qui me plaindre, au terme d'une longue journée, que j'avais mal aux pieds et que je ne savais plus quoi faire avec Jean-Paul. Comme ils me manquaient, ces ronchonnements et ces jérémiades – partie intégrante d'un travail que j'adorais.

— L'hôtel paraît si triste, si négligé, ai-je dit. Où est passé son charme ?

— Il est toujours là. C'est toi qui as fait de l'hôtel Riviera ce qu'il était. Si tu y es arrivée une fois, pourquoi pas deux ? Il n'a besoin que d'un peu d'attention et d'affection.

— Et d'argent surtout ! De beaucoup d'argent.

— La compagnie d'assurances t'indemnisera. Freddy Oldroyd la relance tous les jours depuis Avignon. Tu verras, tu recevras bientôt un chèque.

J'ai songé au temps que j'avais consacré à donner vie à cet hôtel, aux ouvriers qui s'étaient succédé là des mois durant, aux difficultés liées à l'obtention des permis de construire, à la paperasserie, mais aussi au plaisir que j'avais pris à courir les ventes aux enchères pour meubler les chambres. J'ai songé à ma cuisine, qui jamais ne pourrait être recréée à l'identique. J'ai songé à l'amour que j'avais mis dans cet hôtel, et à celui qu'il m'avait rendu en retour. Désespérée, j'ai constaté qu'une partie de moi avait disparu dans l'incendie, et j'ai douté de jamais la retrouver.

— Je n'y arriverai pas ! me suis-je écriée. C'est impossible, je ne peux pas tout recommencer.

— Je regrette que tu le prennes comme ça. Il est vrai que l'hôtel occupait une telle place dans ta vie...

— Je ne sais même pas si j'en suis encore propriétaire, ai-je observé avec amertume.

— Il t'appartient tant que la justice n'en aura pas décidé autrement, et cette éventualité me semble peu probable, maintenant que nous sommes sur la piste de Patrick. De toute façon, un procès risquerait de durer des années.

— Je vais donc le reconstruire pour qu'Evguenia puisse y couler des jours heureux jusqu'à la fin de sa vie.

Je me suis tournée vers Jack. Assis à côté de moi, bras croisés, il dégageait une telle vitalité et une telle force que l'on se sentait tout de suite en confiance auprès de lui. Cet homme m'apparaissait comme un don du ciel... mais il ne m'était pas destiné.

— J'ai peur, ai-je avoué. J'ai peur de remettre les pieds dans ma propre maison. J'ai peur de Patrick.

— Tu n'es pas obligée de rentrer, tu peux dormir ici.

Sa proposition ne comportait aucun sous-entendu. Il se montrait gentil, voilà tout.

— Merci, ai-je marmonné, mais je déteste les bateaux. Et puis, ça ira. Mlle N est là elle aussi. (J'ai éclaté de rire.) On ressemble presque à un couple de vieilles filles, maintenant, avec notre manie de boire un thé et de nous souhaiter une bonne nuit avant d'aller nous coucher. Je l'adore. C'est le genre d'amie que toute femme devrait avoir. (Je lui ai pris la main.) Tout comme un homme comme toi, Jack. Tu as fait la navette avec les États-Unis pour me soutenir alors que tu étais censé réparer ton sloop et préparer ton prochain voyage.

— Je suis là parce que je voulais te revoir, a-t-il répondu, et aussi t'aider à résoudre tes problèmes. Et puis, je ne suis pas tranquille à propos de Patrick. On ignore ce qu'il mijote.

Je me demandais laquelle de ces raisons je préférais quand il m'a attirée dans ses bras.

— Tu m'as manqué, Lola.

Le sourire aux lèvres, je l'ai embrassé. Tant pis s'il ne m'avait pas dit qu'il m'aimait, ai-je pensé, je me contenterais de ce « tu m'as manqué » pour le moment. Nous nous sommes ensuite dirigés vers le petit lit niché sous la proue, où nous avons fait l'amour avec le chant des mouettes au-dessus de nos têtes et le doux clapotis des vagues contre les hublots.

— Tu as l'air différente, a-t-il remarqué. Tes cheveux sont plus longs, ta peau plus pâle, et tes yeux ont pris la couleur du whisky.

— Pour le reste aussi, j'ai changé ?

— Oh non. Je me souviens très bien du reste, j'en ai même rêvé durant mes longs trajets en avion. Avais-je oublié de le mentionner ?

— Oui, ai-je murmuré, tout occupée que j'étais à lui mordiller le lobe de l'oreille.

Il s'est redressé pour me caresser, m'admirer, river ses yeux aux miens. Jamais je n'avais été aimée ainsi auparavant. Jamais je n'avais connu d'homme si doux, si passionné et si sûr de lui et du plaisir qu'il pouvait me donner. Quand il m'a pénétrée, j'ai de nouveau eu l'impression d'être une étoile parmi les étoiles. J'ai crié mon bonheur et il m'a serrée contre lui afin que je sente cogner son cœur contre ma poitrine.

« Lost in France in love », comme dit la chanson.

61

Amoureuse. Le mot résonnait sans fin dans mon cerveau endormi. Impossible d'y échapper, même mon inconscient me répétait que j'étais mordue.

À mon réveil, la lumière du jour se déversait dans le salon par les portes-fenêtres. Nous n'avions pas voulu abandonner Mlle N seule chez moi, aussi lui avais-je laissé mon lit et avais-je passé la nuit sur le divan pendant que Jack montait la garde dehors, allongé sur le canapé en rotin blanc trop petit pour lui, avec Sale Chien à ses pieds.

Des voix me sont parvenues de l'extérieur et je me suis redressée en sursaut. Un coup d'œil à ma montre m'a appris qu'il était déjà dix heures. J'avais joué les prolongations ce matin...

Par la fenêtre, j'ai vu Jack discuter avec un petit homme à la mine très protocolaire, vêtu d'un costume marron et muni d'un attaché-case. Au moins n'avait-il pas une tête de policier, ai-je songé. J'ai enfilé un pantalon de jogging et je suis sortie en tentant d'adopter la contenance de quelqu'un qui ne venait pas d'être surpris au saut du lit.

— Bonjour, l'ai-je salué. Je peux vous aider ?

Jack m'a décoché un sourire si amusé que j'ai dû me mordre la lèvre pour ne pas l'imiter. L'homme, pendant ce temps, m'a dévisagée d'un air confus – je n'avais pas dû réussir à le leurrer.

— Madame Laforêt ?

— Oui.

Il paraissait plutôt inoffensif, mais qui sait, peut-être était-ce encore un avocat à la solde de Solis.

— Je représente votre compagnie d'assurances, madame. Je suis venu vous dire que nous avons enfin réglé notre litige. Je vous ai apporté les documents que vous devez signer.

Je suis d'abord restée bouche bée puis, radieuse, j'ai attrapé sa main pour l'entraîner à l'intérieur. Il s'est vite dégagé et s'est assis bien droit en face de moi.

— Je vous prie de lire ces papiers avec attention, madame Laforêt. J'aurai besoin de votre signature ici, et ici également.

Après que je me fus exécutée, il m'a tendu un chèque. Un chèque énorme, synonyme pour moi d'un nouveau toit, de murs roses et de volets bien posés. De ventes aux enchères, de vieux tapis et de tissus provençaux. D'une nouvelle cuisine avec une haie de romarin à l'extérieur. De bonnes odeurs, de rosé frais et de chaudes soirées d'été. Ce chèque signifiait tout pour moi. La liberté. Une maison.

Pour fêter la nouvelle, nous avons dîné ce soir-là au Moulin de Mougins, un restaurant qui comptait parmi mes préférés depuis des années et où chaque plat portait encore l'empreinte de l'ancien maître des lieux, le chef Roger Vergé. Nous nous y sommes présentés en grande pompe, et j'ai commandé du champagne en encourageant mes invités à choisir ce qu'ils voulaient sur la carte.

Impériale dans une robe en soie bleu marine sur laquelle se détachait son collier de perles, Mlle N m'a d'abord confié être certaine de ne pas pouvoir manger aussi bien là qu'à l'hôtel Riviera – en quoi elle se trompait car elle s'est ensuite régalée avec une soupe aux champignons et une dorade des plus appétissantes. Quant à Jack – *mon* Jack pour quelques heures, ai-je pensé avec tendresse –, il avait renoncé à son éternel short au profit d'un pantalon en lin couleur crème –, froissé, il est vrai, mais au moins était-ce un pantalon –, d'une chemise bleue achetée exprès sur le marché de Saint-Tropez ce matin-là et d'une veste noire qui, bien qu'elle eût connu des jours meilleurs, le rendait très élégant. Je n'étais moi-même pas en reste, puisque j'avais craqué pour une robe framboise dont la simplicité n'avait d'égale que le prix. Mes cheveux qui tombaient en cascade sur mes épaules et l'ambre de mes boucles d'oreilles composaient avec elle un mélange détonnant du plus bel effet, et je portais des escarpins à talons hauts et bouts pointus qui me mettraient à coup sûr au supplice – mais quelle importance. Maquillée et souriante, je ressentais déjà les merveilleux effets du chèque de l'assurance sur mon moral.

— Tu as l'air différente, a encore remarqué Jack derechef.

— Vu ce que m'a coûté cette robe, j'espère bien !

— Avec de l'argent, tout est possible ! a-t-il ri.

— Oui, et ce n'est que le début. On va s'offrir un festin de rois ! ai-je lancé, ivre de bonheur comme je ne l'avais pas été depuis des mois – sinon dans ses bras.

La soirée a été mémorable. Nous avons oublié Patrick, nos peurs et nos problèmes pour profiter pleinement de ces instants. La reconstruction de l'hôtel Riviera et de ma vie pouvait attendre un jour de plus.

Pendant que Jack s'échinait à rechercher Patrick, qui semblait avoir disparu de la surface de la terre, je me suis mise au travail. Il me fallait de nouveau palabrer avec un entrepreneur, voir défiler des grues et des camions chargés de gravats, supporter le bruit des murs qu'on abattait et celui des perceuses et des marteaux-piqueurs. Rebâtir une maison devait être aussi douloureux que mettre un enfant au monde, mais cela en valait autant la peine.

La partie de l'hôtel donnant sur le parking était restée intacte, de sorte que Mlle N a pu se réinstaller dans sa chambre. Jack, lui, a pour ainsi dire emménagé chez moi. Comme il avait engagé un gardien de nuit et que Sale Chien était là lui aussi pour montrer les dents si nécessaire, je me sentais de nouveau en sécurité.

Les jours qui ont suivi m'ont entraînée dans un tourbillon d'activités. Il y avait sans cesse des décisions à prendre, des difficultés imprévues, des travailleurs absents, du matériel non livré. Quand le toit a enfin été terminé, nous avons fêté l'événement en dressant un énorme buffet dans le jardin pour les ouvriers et leur famille. La bière a coulé à flots et les toasts portés au succès du nouvel hôtel Riviera se sont succédé jusqu'à ce qu'il commence à pleuvoir. Consternés, nous avons contemplé le ciel de plus en plus noir.

— J'ai un toit ! me suis-je soudain rappelé.

Nous avons éclaté de rire. Oh, quelle différence peut faire un simple toit !

J'étais si heureuse ce soir-là. Tout rentrait dans l'ordre. Qui sait, peut-être même pourrai-je garder mon hôtel, ai-je pensé dans un élan d'optimisme.

Ce n'était que le calme avant la tempête.

62

Patrick

Patrick Laforêt n'avait plus un sou en poche. Il lui restait juste de quoi se payer un café au petit déjeuner, un sandwich le midi et un léger en-cas dans la soirée. Evguenia avait mis un terme à ses largesses, furieuse qu'il ait joué et perdu presque tout l'argent qu'elle lui avait envoyé à Menton – l'argent *et* les boucles d'oreilles –, le tout atteignant une somme à laquelle il préférait ne même pas songer.

Elle lui tenait maintenant la bride haute. Non seulement elle ne lui rendait plus visite, mais elle ne lui avait pas permis de s'approcher d'elle depuis des semaines. Seul dans la sordide villa qui leur avait servi de nid d'amour, Patrick devenait fou. Oubliées, sa Mercedes et la belle vie qu'il menait à San Remo. Il n'avait plus que sa Ducati. Non, décidément, il n'était pas heureux.

Evguenia Solis ne l'était pourtant pas davantage. L'exaspération le disputait en elle à l'amertume, et c'est dans ce dangereux état d'esprit qu'elle l'avait retrouvé ce jour-là dans un restaurant de La Turbie, un village perché sur les hauteurs au-dessus de Monte-Carlo. Assise en face de lui, elle mangeait du bout des dents une assiette de raviolis sans lui prêter la moindre attention.

— Ne m'ennuie pas, le rabroua-t-elle lorsqu'il voulut lui prendre la main. Je réfléchis.

— À quoi, cette fois ?

Il se demanda si elle comptait le quitter et, dans ce cas, comment il réagirait. Il ne s'imaginait pas vivre sans cette femme. Elle était comme un virus résistant contre lequel on refuse de lutter parce que, si mauvais soit-il, on adore ce qu'il nous fait ressentir.

— Nous ne pouvons pas continuer ainsi, déclara-t-elle. (Il hocha humblement la tête. Oui, il en avait conscience.) Il est temps de passer à l'action. Notre plan est au point, nous n'avons plus qu'à l'exécuter.

Patrick se versa encore un peu de vin et la dévisagea. Tant de beauté, tant de malveillance... il ne savait plus s'il l'aimait ou s'il la haïssait.

— Falcon se chargera des coups de fil. Le type ne nous gênera pas et Lola viendra seule.

— Tu crois vraiment qu'elle se déplacera ?

— J'en suis sûre, Patrick, sourit-elle. Après tout, elle le fera pour toi.

Il fixa son verre d'un air lugubre. Il était allé trop loin, impossible de reculer maintenant. Mais il ne se sentait pas le courage d'agir personnellement.

— Je ne conduirai pas la voiture, la prévint-il.

Evguenia soupira. Patrick était un faible, elle s'en était rendu compte dès le début.

— Ne t'inquiète pas, tu n'auras pas à intervenir. Demain à cette heure-ci, tu seras un homme libre.

63

Jack

Jack pelletait du sable dans la bétonnière à l'extérieur de l'ancienne cuisine quand le téléphone sonna.

— Jack Farrar, répondit-il.

— Monsieur Farrar, chuchota une voix d'homme, si vous souhaitez savoir où se trouve Patrick Laforêt, soyez à Nice, place Garibaldi, demain matin à cinq heures.

Puis la ligne fut coupée. Jack fit apparaître sur le combiné le numéro de son interlocuteur et le rappela aussitôt. Peine perdue, il s'agissait d'une cabine téléphonique. Il aurait dû s'en douter.

Il se remémora la voix, mais sans réussir à l'identifier. Devait-il avertir Lola ? Non, décida-t-il. Inutile de lui faire peur. À la place, il contacta une société de location de voitures et en réserva une pour le lendemain matin de bonne heure.

64

Lola

J'étais seule avec Mlle N. Jack était parti faire un tour en bateau et le gardien de nuit s'était retiré dans le vestibule de l'hôtel, où il dînait devant sa télé portative.

Lorsque le téléphone a sonné, j'ai décroché avec lassitude, persuadée que l'entrepreneur allait encore m'annoncer un retard de trois semaines dans la livraison du carrelage.

— Écoutez-moi bien, m'a ordonné un homme. Si vous voulez revoir votre mari vivant, soyez à La Turbie à six heures demain matin. Que les choses soient claires, madame : il en va de sa vie. Et pas un mot à la police ni à qui que ce soit. Sinon... (Il y eut un blanc.) Sinon, vous savez ce qui se passera.

J'ai lâché le combiné et fixé Mlle N, les yeux écarquillés, avant de lui répéter le message.

— Il m'a dit de n'en parler à personne, ai-je ajouté, encore sous le choc.

— Cela ne s'applique pas à moi, bien sûr.

— Et Jack ?

— Nous devrions l'en informer.

— Si je le fais, ils tueront Patrick !

— Et si vous n'y alliez pas ?

— Je ne peux pas prendre un tel risque.

Elle a soupiré.

— Je persiste à croire que nous devrions prévenir Jack, mais puisque vous n'en démordez pas, je vous accompagne.

— Comprenez-moi, mademoiselle N. C'est ma seule chance de retrouver Patrick. Il faut que j'y aille. Je n'ai pas le choix.

Jack patienta un quart d'heure place Garibaldi à Nice avant de s'apercevoir qu'il avait commis une erreur. Bien qu'il fût encore tôt, il tenta de joindre Lola par téléphone. En vain. Où pouvait-elle être ? Sur une impulsion, il consulta son répondeur et tomba sur un message de Mlle N.

« Je ne suis pas censée vous mettre dans la confidence, déclarait-elle avec ce phrasé heurté propre aux Anglais qui le faisait toujours sourire, mais Lola a reçu un curieux appel hier soir. L'homme au bout du fil a exigé qu'elle garde le silence, seulement elle s'est confiée à moi, bien sûr, et maintenant c'est à mon tour de me confier à vous. Nous sommes en route vers La Turbie afin de retrouver Patrick – du moins c'est ce qu'a prétendu cet individu. Il a aussi laissé entendre à Lola quelles seraient les conséquences si elle ne venait pas. J'ai pensé à mon cher Tom, à la façon dont lui aurait réagi, et j'ai préféré vous avertir parce que j'ai un mauvais pressentiment. Nous avons rendez-vous sur la place du village à six heures. Je serais ravie de vous compter parmi nous », concluait-elle comme si elle l'avait invité à une soirée.

Comprenant qu'il avait été berné, Jack reprit sa Peugeot de location et fonça sans plus attendre vers La Turbie.

Devant lui roulait un énorme Hummer vert kaki, précédé un peu plus loin par la petite Fiat grise de Mlle N. Bien que la vieille institutrice roulât à un train d'enfer, indifférente aux virages en épingles à cheveux et au précipice à sa droite, le 4 × 4 se rapprochait de plus en plus d'elle. Trop, s'alarma Jack, qui ne voyait pas comment cet engin espérait opérer un dépassement sur une route aussi étroite.

Il ralentit afin de lui ménager plus d'espace et de l'inciter ainsi à moins coller à la Fiat, mais ne réussit qu'à se faire distancer. Ce crétin avait un problème, ou quoi ? songea-t-il en essayant de distinguer les traits du conducteur. Les vitres fumées ne lui permirent toutefois de distinguer que les contours de sa tête, et les coups de klaxon dont il l'abreuva restèrent sans effet.

— Imbécile ! tempêta-t-il.

Mlle N

— Ma chère, déclara Mlle N en regardant dans son rétroviseur, vous ne trouvez pas que ce véhicule de l'armée nous suit de trop près ?

Lola se retourna.

— Il n'appartient pas à l'armée. C'est un Hummer, un modèle personnalisé hors de prix et très gourmand en essence.

— Mmmm, marmonna Mlle N.

Elle écrasa l'accélérateur. La petite Fiat fit une légère embardée puis repartit de plus belle.

— Ô mon Dieu ! s'écria Lola après avoir considéré le précipice. Ralentissez, mademoiselle N. Laissez-le nous doubler au prochain tournant puisqu'il est si pressé.

— La question est : *pourquoi* est-il si pressé ?

Mlle N négocia une série de virages avec maestria, non sans commencer à s'inquiéter. Le Hummer les serrait littéralement et elle ne voulait pas ralentir, de peur qu'il ne les emboutisse. À cela s'ajoutait le fait qu'elles étaient seules sur cette route. Il y avait bien eu une autre voiture derrière le 4×4, un peu plus tôt, mais elle avait disparu. Lola et elle ne pouvaient plus compter que sur elles-mêmes.

67

Jack

De la vapeur s'échappa du radiateur, accompagnée d'un bruit sourd, et la Peugeot s'arrêta lentement.

Jack abattit ses deux poings sur le volant. Sa voiture n'aurait pu choisir pire moment pour tomber en panne. Que faire ? Mlle N devait être loin déjà, le Hummer toujours à ses trousses. Il sortit du coffre des triangles de signalisation lumineux, courut les installer à quelques mètres de là, puis contempla le vide au bord de la route.

— Oh, non…

Il appela la police sur son portable et expliqua dans un français exécrable qu'un chauffard circulait sur la Moyenne Corniche. Un accident était à craindre, peut-être même un meurtre. Il fallait dépêcher un hélicoptère sur place *tout de suite. Avant qu'il ne soit trop tard.*

Il revint vers sa voiture, espérant qu'on l'avait pris au sérieux. Le cœur battant, il implora le ciel comme jamais il ne l'avait fait, jusqu'à ce qu'il entende un véhicule approcher. Il leva alors le pouce et s'engouffra dans l'habitacle sitôt que le conducteur eut ralenti.

— Dépêchez-vous, lança-t-il au couple d'Allemands qui le fixaient, éberlués. Il y a du grabuge devant ; des gens ont besoin d'aide.

L'homme ne lui posa pas de questions et démarra en trombe.

68

Mlle N

— Ma chère, annonça Mlle N, je crois que nous avons un problème. Ce Hummer essaie de nous expédier dans le vide.

Lola examina leur poursuivant par la lunette arrière. Elle lui fit signe de cesser son manège mais il l'ignora, accélérant au contraire.

— Non, hurla-t-elle lorsque le 4×4 les tamponna. Ô mon Dieu, il veut nous tuer !

Mlle N réfléchit à toute allure. Sa Fiat ne pouvait aller plus vite, elles n'avaient donc aucun moyen de semer ce fou dangereux. Il ne lui restait plus qu'à prier Tom pour qu'il lui souffle comment se tirer d'affaire.

Zigzague ! La solution s'imposa à elle comme un coup de tonnerre, et elle donna aussitôt un brusque coup de volant. Le Hummer l'imita.

— Rabattez-vous sur le côté, arrêtez-vous ! la supplia Lola. Je n'aurais pas dû vous mêler à cette histoire, mademoiselle N. Je suis désolée, tellement désolée...

Elle cria de nouveau. Le Hummer venait encore de les heurter et il avait cette fois réussi à faire perdre à Mlle N le contrôle de la Fiat.

69

Jack

Jack perçut le bruit d'une moto en même temps qu'il repérait le Hummer au loin. Le 4×4 roulait au milieu de la route, le pare-chocs collé à la Fiat.

— Non…, s'étrangla-t-il quand celle-ci dérapa et effectua un tête-à-queue.

Mais Mlle N réussit à redresser la situation. Le Hummer repartait de nouveau à l'assaut quand une Ducati grise doubla Jack et le couple de touristes allemands. La femme hurla, tandis que son mari freinait à fond en maudissant ce motard que rien ne semblait pouvoir stopper, pas même les deux voitures engagées devant eux dans une lutte sans merci.

70

Lola

Je me suis bouché les yeux, mais alors même que notre fin me paraissait toute proche, je ne parvenais à penser qu'à Jack et au fait que je ne le reverrais plus. Et à Mlle N aussi, cette innocente qui n'avait pas mérité de se retrouver mêlée à mes problèmes.

— Je suis désolée, tellement désolée, ne cessais-je de répéter.

— Ô Seigneur ! murmura-t-elle, consciente que notre adversaire avait gagné la partie.

Elle continua pourtant à invoquer Tom et s'accrocha au volant, dans un dernier effort désespéré pour échapper à la mort.

71

Jack

Jack vit la Ducati doubler le 4 × 4 en le frôlant de si près que ses roues manquèrent l'accrocher. Il reconnut la moto de Patrick Laforêt et comprit que celui-ci tentait de barrer la route au conducteur du Hummer – lequel ne céda pas. Un ronronnement d'hélicoptère retentit alors dans le ciel. L'appareil descendit en piqué et longea la route à basse altitude, juste au moment où la Ducati se jetait devant le 4 × 4. La voiture freina brutalement mais ne put l'éviter. Ce fut le choc. Éjecté de sa moto, Patrick demeura comme suspendu en l'air durant une fraction de seconde, avant de disparaître dans le vide.

Le Hummer dérapa quant à lui jusqu'au bord du précipice. Un bref instant il s'y balança en équilibre, puis il chuta à son tour.

72

Patrick

Un homme sur le point de mourir voit, paraît-il, sa vie défiler devant ses yeux. Patrick Laforêt, lui, revit comme dans un film le beau visage d'Evguenia tandis qu'elle lui faisait l'amour.

« Tu dois tuer Lola, l'entend-il déclarer. Il faut commencer par ça. »

Il la repousse en la giflant si fort que sa tête part en arrière. Elle ne souffle mot cependant, et se contente de le menacer du regard. Telle est l'image qui s'impose à lui tandis que la Ducati glisse sur la chaussée et qu'il s'envole dans les airs.

« Tu tueras d'abord Lola, insiste-t-elle comme s'il s'agissait de la chose la plus normale qui soit – et pour une sociopathe de sa trempe, c'est bien le cas. On sera égaux après. Tu ne pourras pas me dénoncer, et vice versa. Le marché est équitable, lui rappelle-t-elle en allumant une cigarette.

— Je divorcerai de Lola, et ensuite je t'épouserai, la défie-t-il.

« — Non. La procédure durera des années, Lola s'y opposera et elle te réclamera la moitié de ta propriété. Tu seras obligé de la vendre pour lui payer son dû. C'est moi qui ai récupéré le terrain, ne l'oublie pas. Il sera pour nous. On y construira *ma* maison. (À ces mots, Patrick compatit au sort de la pauvre petite fille russe qui n'a jamais eu de véritable foyer.) Je veux vivre là avec toi, Patrick. Et avec l'argent de Laurent. Il n'y a pas de place pour les fantômes du passé entre nous.

— Je divorcerai de Lola, s'entête-t-il.

— Et que deviendrai-je, moi, pendant que tu t'occuperas des démarches auprès du tribunal ? Je suis censée attendre qu'elle veuille bien renoncer à toi pour que tu puisses m'épouser ? Après tout ce que j'ai fait pour toi ? »

Patrick n'avait jamais accepté son plan. Jamais. Persuadé qu'elle bluffait, il n'avait pas vu la tueuse implacable qui se cachait en elle. De même, il n'avait pas imaginé que, excédée par ses atermoiements, puis son refus catégorique, Evguenia déciderait de prendre les choses en main.

Lorsqu'il l'avait enfin compris, il était presque trop tard. Mais lui n'était pas un assassin, et il ne pouvait tout simplement pas la laisser toucher à Lola. Quand Evguenia désirait quelque chose, elle se battait pour l'obtenir. Et elle se l'appropriait. À présent, elle le tenait corps et âme. Pour toujours.

73

Lola

La Fiat a pilé du mauvais côté de la route, et si brusquement que j'ai été projetée contre le tableau de bord. La tête douloureuse, je me suis tournée vers Mlle N. Elle semblait indemne.

— Oh, je suis tellement désolée..., ai-je repris, tandis que les larmes me montaient aux yeux.

— Pas de panique, ma chère, a-t-elle déclaré en redressant ses lunettes et en tapotant sa coiffure. (Comme moi, elle devait attendre que son cœur retrouve un rythme normal.) Tout ira bien maintenant.

J'aurais aimé la croire.

Pendant qu'un hélicoptère atterrissait à une vingtaine de mètres de là, Jack a accouru vers moi et manqué arracher la portière de la Fiat avant de me serrer dans ses bras.

— Dieu merci, tu n'as rien, a-t-il répété à plusieurs reprises.

Des renforts policiers, des ambulances et des pompiers arrivaient à fond de train. Jack m'a assise sur le bas-côté de la route, inquiet devant les frissons qui m'agitaient et le sang qui coulait sur mon front, puis il a ôté sa chemise pour m'en envelopper. Il s'est ensuite empressé auprès de Mlle N, qu'il a aidée à son tour à sortir de la voiture.

— Comment pourrai-je jamais vous remercier ? a-t-il demandé en courbant la tête pour lui baiser les mains.

— C'est inutile, jeune homme. Je me suis bien amusée, a-t-elle plaisanté d'une voix mal assurée.

— Vous avez un sacré cran, a-t-il sifflé, admiratif. Je parie que vous allez me dire maintenant qui était au volant du Hummer !

— Dès que j'aurai une minute.

Elle a pris le temps de rajuster son collier de perles, d'essuyer la poussière et la sueur qui lui maculaient le visage avec son mouchoir, puis m'a rejointe sur le bas-côté.

Des ambulances et des voitures de police dévalaient le coteau vers le point de chute des deux véhicules quand une explosion a retenti. J'ai compris que le réservoir du Hummer avait explosé. À supposer qu'il ait réchappé à un tel accident, son conducteur était sûrement mort à présent.

Stupéfaits, les Allemands n'avaient pas bougé d'un pouce. Jack est allé s'excuser auprès d'eux de les avoir impliqués dans cette course-poursuite mais, comme ils l'avaient eux-mêmes compris, il s'agissait d'une question de vie ou de mort. Il leur a aussi donné le numéro de l'hôtel et les a priés de passer afin que nous puissions leur exprimer notre gratitude. À peine avait-il fini que des policiers l'ont attrapé, menotté et fourré à l'arrière de leur véhicule en même temps que Mlle N et moi.

— Je n'aurais jamais imaginé me retrouver là un jour, a-t-elle souri malgré sa position inconfortable.

Les agents ont commencé à interroger mon amie avec tout le respect dû à son âge, même si, en tant que conductrice de la Fiat, elle semblait responsable de la mort d'au moins deux personnes. Elle leur a fourni des réponses claires et précises, et, parce que Jack et les deux Allemands ont ensuite corroboré ses dires, nous avons été mis provisoirement hors de cause et libérés. Ne sachant que faire, nous sommes retournés nous asseoir au bord de la route.

La circulation avait été interrompue dans les deux sens, si bien que les conducteurs coincés là ne pouvaient que contempler le désastre en contrebas entre deux grognements impatients. Ces morts ne les concernaient pas, et ils étaient en retard. Des secours sont encore arrivés, puis l'hélicoptère a décollé afin de survoler la scène de l'accident. Des broussailles s'étaient enflammées, le feu s'étendait à vive allure. D'autres camions de pompiers ont été appelés à la rescousse.

Le policier qui avait pris des notes a voulu savoir si Jack connaissait l'identité des victimes.

— J'ignore qui conduisait le Hummer, a-t-il dit en me regardant, mais le motard était Patrick Laforêt.

J'ai voulu parler, demander comment cela était possible, mais les mots n'ont pu franchir mes lèvres. Je l'ai juste fixé des yeux en silence, et ce n'est que plus tard, en route pour l'hôpital où nous devions subir un examen de routine, que j'ai réussi à articuler :

— Pourquoi Patrick a-t-il fait ça ?

— Il a compris à temps ce qui allait se passer. Il t'a sauvé la vie.

— C'est très simple, ma chère, a ajouté Mlle N. Au bout du compte, Patrick vous aimait. À sa manière.

74

De retour à l'hôtel, nous avons bu un cognac en observant un certain mutisme. Chacun de nous s'était déjà douché afin d'effacer de son corps toute trace de ce cauchemar. Nettoyer notre mémoire serait plus difficile. Nous n'en avions pas encore fini, mais le fait d'être maintenant « à la maison » rendait la situation plus supportable.

Le fond de l'air devenait frais en ce début de soirée, aussi Jack est-il allé chercher un gilet pour Mlle N et un châle pour moi, qui frissonnais toujours. Puis Nadine a surgi avec des bols de soupe bien chaude.

— Comment pourrais-je avaler quoi que ce soit alors que Patrick vient de mourir ? ai-je soufflé.

— Il est mort en se portant à ton secours, Lola, mais c'est tout de même lui qui t'a mise en danger, m'a rappelé Jack.

— Il s'est racheté pourtant...

— Peut-être, mais ça ne l'absout pas de ses torts envers vous, a riposté Mlle N.

J'ai avalé une petite gorgée de potage et, parce que le liquide brûlant a desserré le nœud qui me tordait l'estomac, j'ai continué à manger, avant d'appuyer le bol contre mon visage pour m'imprégner de sa chaleur. Je m'en voulais encore d'être saine et sauve alors que Patrick était mort. Pour de bon, cette fois.

— Je vous l'avais dit. C'était un mauvais mari, mais pas un méchant garçon. J'avais raison.

— Il est temps d'aller de l'avant, m'a conseillé Mlle N. Votre vie n'appartient qu'à vous, Lola. Vous pouvez la mener à votre guise.

— Grâce à Patrick.

J'ai pressé le bol contre mes lèvres afin de les empêcher de trembler.

— Pas seulement grâce à lui, a-t-elle objecté d'une voix qui ne m'avait jamais paru aussi ferme. Vous êtes une femme indépendante, Lola. Vous vous êtes fait votre propre place en ce monde. Maintenant, j'aimerais vous toucher un mot au sujet de la femme qui conduisait le Hummer. Et de son compagnon aussi. Même si la police n'a pas encore identifié les corps, je suis certaine de ne pas me tromper.

— Je crois savoir moi aussi qui ils étaient, a déclaré Jack. Même si je m'interroge encore sur leurs mobiles.

Mlle N m'a sondée du regard.

— Cela risque de vous causer un choc, ma chère, mais il vaut mieux que vous soyez fixée.

Elle nous a alors parlé de la relation qu'elle soupçonnait entre Evguenia et Patrick, et de l'emprise que cette fille avait dû avoir non seulement sur lui, mais aussi sur son mari, Laurent Solis. Une emprise assez forte pour pousser un homme au crime.

75

La télévision et les journaux ont annoncé qu'Evguenia Solis était décédée dans un accident de voiture sur la Corniche. Le même jour, la nouvelle s'est répandue que Patrick Laforêt, jusqu'alors « porté disparu », avait trouvé la mort à moto.

Le yacht de Solis a quitté Monte-Carlo dans la plus grande discrétion ce soir-là, et sans le corps d'Evguenia – ou du moins ce qu'il en restait. Me Dumas avait reçu l'ordre de la faire enterrer dans le cimetière le plus proche, sans stèle ni service funèbre. Seule une plaque avec son nom et les dates de sa naissance et de sa mort témoignerait de son existence. Avant de partir, Laurent Solis avait fait don d'une somme importante à un fonds chargé de la restauration d'objets anciens. Puis il s'en est retourné à sa vie de château. S'il était blessé, il n'était pas du genre à le montrer en public.

Ce soir-là aussi, un coursier m'a remis une enveloppe dans laquelle j'ai découvert, déchirée en mille morceaux, la reconnaissance de dette signée par Patrick. Solis renonçait à l'hôtel Riviera.

S'il y avait une personne que je plaignais dans cette histoire, en dehors de ce pauvre Patrick, c'était bien lui. Enfin, si tant est que l'on puisse se sentir désolée pour un milliardaire. Je le pensais sincère lorsqu'il nous avait raconté comment Nilda Laforêt l'avait sauvé. Solis n'avait rien d'un mauvais type lui non plus, c'était juste un homme d'affaires talentueux qui avait succombé au charme d'une femme aussi belle que dangereuse.

La police est passée nous interroger sur Jeb Falcon, mort avec Evguenia dans l'accident, mais nous avons prétendu ne rien savoir. Quant à Giselle Castille, elle s'est retranchée à Paris après avoir mis sa villa en vente.

— Bon débarras, a commenté Mlle N avec satisfaction – sans que je sache si elle parlait aussi de Patrick.

J'ai offert à mon mari un enterrement de première classe, auquel tous ses « proches » ont assisté. Les Shoup ont fait le trajet depuis la Dordogne pour nous soutenir et les Lune-de-Miel m'ont envoyé un superbe bouquet de fleurs. Même Budgie Lampson m'a écrit une lettre de condoléances, dans laquelle il m'a pourtant semblé qu'elle exprimait un certain soulagement.

La veillée a eu lieu sur la terrasse de l'hôtel. J'ai serré la main aux amis de Patrick, fait la bise à des femmes qui avaient été ses maîtresses. Entre deux souvenirs évoqués à mots couverts, tous ont bu du champagne et dévoré les hors-d'œuvre préparés par

Nadine et servis par Jean-Paul, revenu exprès pour l'occasion.

Jack s'est tenu en retrait pendant ce temps. Après tout, il s'agissait des funérailles de mon mari. Mais Mlle N est demeurée à mes côtés, droite et fière, jaugeant du regard cette foule en deuil et me tapotant parfois le bras afin de me réconforter.

J'avais prêté une attention particulière à ma tenue pour cet adieu à Patrick : robe noire sans manches, talons hauts, chapeau noir à large bord et lunettes de soleil. Si Jack a paru surpris par ce nouveau look, Mlle N a décrété que je faisais une bien jolie veuve – ce qui m'a fait éclater de rire. C'est là que j'ai compris. J'étais libre à présent. Patrick avait choisi sa voie ; il n'appartenait qu'à moi de suivre la mienne désormais.

Où me mènerait-elle ? J'ai jeté un coup d'œil à Jack par-dessus mon épaule. L'air solennel et quelque peu méfiant, il était si beau que j'en ai été bouleversée. La question consistait maintenant à savoir si lui aussi donnerait la priorité à notre relation. J'en doutais. C'était un marin, je ne devais pas l'oublier, et ma timidité m'empêcherait toujours de l'interroger sur ses intentions.

Les invités sont partis les uns après les autres, semblables à des corbeaux dans leurs habits sombres. Tous riaient, discutaient, organisaient leur soirée. La cérémonie expédiée, ils reprenaient leur vie. Et je suppose qu'il n'y avait rien de mal à ça.

Nous avons dîné avec Red et Jerry Shoup, restés là « pour nous changer les idées » – dixit Mlle N. Je les ai emmenés à l'auberge des Maures, un restaurant de la place des Lices, à Saint-Tropez, où nous avons porté un toast à l'hôtel Riviera. Il était mien désormais, et je me suis juré de le faire renaître de ses cendres aussi beau qu'avant. Puis nous avons bu à la mémoire de Patrick, et je me suis souvenue qu'il m'avait aimée, après tout.

Les Shoup ont ensuite retrouvé leur chambre, dont la rénovation était achevée. Mlle N a regagné la Marie-Antoinette, et Jack et moi mon pavillon.

— N'est-ce pas immoral ? ai-je lancé avec nervosité lorsqu'il m'a attirée dans ses bras une fois la porte fermée. J'ai mauvaise conscience. Je viens quand même d'enterrer mon mari.

— Chérie, tu l'avais enterré depuis longtemps déjà, a-t-il rétorqué en m'embrassant dans le cou. Aujourd'hui, ce n'était qu'une formalité.

Bien que la nuit fût encore douce, j'ai allumé du feu et nous nous sommes installés sur le canapé pour contempler les flammes. Au fond de moi, j'ai remercié une nouvelle fois Patrick, et aussi le ciel qui m'avait envoyé Mlle N et Jack Farrar. Si éprouvante qu'ait été cette semaine, je me sentais curieusement rassérénée. J'étais à cet instant une femme heureuse.

76

J'ai conduit Mlle N à l'aéroport de Nice, où elle devait reprendre l'avion pour Londres. Son absence me pèserait... Pour qui ne s'arrêtait pas à ses conversations sur le temps et la sécheresse qui affectait ses roses cette année-là, cette femme était en réalité aussi profonde et mystérieuse qu'une boîte de Pandore. Je m'étais vraiment attachée à elle et répugnais à la voir partir.

— S'il vous plaît, restez, l'ai-je suppliée.

J'aurais voulu ajouter « Je vous adore », mais j'ai deviné qu'elle désapprouverait de telles effusions. À ses yeux, il allait sans dire que nous éprouvions beaucoup d'affection l'une pour l'autre.

— Ma chère, a-t-elle répliqué alors que nous sirotions un dernier cognac ensemble, il faut que j'entretienne mon jardin. Mes glycines ont besoin d'être taillées, ainsi que mes roses, et Little Nell est toujours en pension au Blakelys Arms. Je dois lui manquer, depuis le temps – encore que je me pose parfois la question, vu la façon dont elle y est gâtée. Toutes ces saucisses et toutes ces bières...

— Reviendrez-vous pour Noël ?

J'ai attendu sa réponse, pleine d'impatience, imaginant déjà notre festin et me demandant si je ne pourrais pas persuader Jack de se joindre à nous. Oh, Jack, ai-je pensé, soudain démoralisée... Un marin, un nomade, comme Patrick...

— C'est très gentil, m'a remerciée Mlle N, l'air très touchée, mais je suis particulièrement occupée à cette période de l'année : les œuvres de la paroisse, les collectes au porte-à-porte accompagnées de nos chants de Noël. Et puis il y a le spectacle à la salle des fêtes, et je suis sûre que le pasteur et sa femme m'inviteront ensuite à partager leur repas. Je ne peux les décevoir, vous comprenez ?

— Oui, ai-je acquiescé, abattue à l'idée de me retrouver seule ce jour-là.

— Peut-être au nouvel an, dans ce cas ?

Oh, je l'espérais, je l'espérais de tout mon cœur !

Après que son avion eut décollé, j'ai quitté Nice et pris sur un coup de tête la direction de l'ancienne villa dont elle m'avait parlé près de Saint-Jean-Cap-Ferrat. J'éprouvais le besoin de réfléchir, et Mlle N m'avait affirmé que je trouverais le calme là-bas.

Je n'avais gardé qu'un vague souvenir de la route à suivre, mais j'ai fini par y parvenir. À croire que cette demeure m'attendait, ai-je songé face à l'inscription LA VIEILLE AUBERGE dont on distinguait les lettres délavées en travers des deux imposantes pierres blanches marquant l'entrée. J'ai poussé le portail et longé un sentier gravillonné jusqu'à la grande maison, nichée au milieu des cyprès et des oliviers. Cet endroit m'évoquait mon hôtel. Certes, il le surpassait par sa splendeur, mais l'on s'y sentait comme chez soi.

Je me suis installée sur un banc, à l'ombre d'un jacaranda, face à la mer dont le bleu turquoise fonçait de plus en plus à mesure que le soleil déclinait. C'était le cadre idéal pour rêver et faire la paix avec soi-même. Je suis donc restée là, à contempler cette vue magnifique, et je me suis souvenue de Patrick, des bons moments que nous avions passés ensemble, de l'amour qu'il m'avait porté. J'ai songé à l'hôtel Riviera et à ma décision de travailler encore plus qu'avant pour le faire prospérer. J'ai même envisagé quelques nouveaux menus, assise là sur ce banc.

Les images défilaient dans ma tête : j'ai revu mon amie Mollie Nightingale, que jamais je n'arriverais à appeler Mollie, malgré toute mon amitié pour elle. Et puis Jack... son corps, ses caresses, le bleu de ses yeux, son sourire renversant et le ton de sa voix lorsqu'il me disait combien il aimait son bateau. Bientôt, lui aussi partirait. Il voguerait jusqu'à l'autre bout du monde en quête d'aventures, parce que telle était sa nature.

Et moi, je me retrouverais seule à guetter le retour de l'été afin de pouvoir m'épanouir comme une fleur au soleil. Je frissonnais à cette idée quand j'ai entendu un bruit de feuilles froissées derrière moi.

Un chaton couleur chocolat me fixait de ses yeux dorés.

— Bonjour, l'ai-je salué. Qui es-tu ?

Il a fait le gros dos pour s'étirer, puis s'est approché de moi et frotté contre mes jambes en ronronnant. J'ai éclaté en sanglots sitôt que je l'ai eu pris sur mes genoux. Toutes mes émotions des mois précédents ont refait surface, et j'ai pleuré longtemps, avec juste cette petite frimousse pour me consoler.

Lorsque mes larmes se sont enfin taries, j'ai essuyé mes joues et contemplé mon nouveau compagnon. Il n'avait pas de collier, pas de tatouage… Mais il était à moi maintenant. Il serait mon ange gardien, comme s'il avait été écrit depuis toujours que tel serait son rôle.

Son nom s'est imposé d'emblée : Chocolat, bien sûr. Il convenait à la fois à sa douce fourrure et au chef cuisinier que j'étais. Je crois que Scramble l'aurait apprécié. Je l'espérais, en tout cas, car j'ai décidé que Chocolat dormirait sur mon oreiller tous les soirs désormais. Ainsi, je ne serais plus jamais seule.

77

Le temps a changé. Un vent vif agitait désormais les pins, l'éclat du soleil s'était adouci et le paysage teinté d'ocre et de rose. À la maison, le feu que j'allumais tôt dans la cheminée répandait une agréable odeur de résine.

Je me dis parfois que cette période de l'année est celle que je préfère. Le marché n'accueille plus que les habitants des alentours, bien emmitouflés dans leurs pulls, et la vie devient plus tranquille, comme apaisée. Je me suis pourtant demandé comment j'allais occuper les longs mois à venir. Seule ville de la région à faire face au nord, Saint-Tropez peut être froide et venteuse en hiver, et la plupart des hôtels y ferment de la mi-octobre à mars – sauf le mien. L'hôtel Riviera reste ouvert toute l'année pour satisfaire les mordus de la Côte d'Azur, tous ces voyageurs et ces romantiques désireux de fuir la réalité dans ce coin de paradis.

J'ai contemplé la mer par la fenêtre. Jack s'était absenté pour plusieurs jours afin de rencontrer un constructeur naval à Marseille, et la baie me paraissait bien vide sans son sloop.

La veille de son départ, nous avions dîné ensemble à l'auberge des Maures, avant de nous promener dans la ville presque déserte, trébuchant çà et là sur les pavés et nous arrêtant à l'occasion devant une vitrine. Alors que nous tournions au coin d'une rue, des notes de musique nous étaient parvenues du quai Suffren. Nous avions échangé un regard surpris. La majorité des yachts avaient quitté la ville pour des cieux plus cléments et les magasins de souvenirs étaient fermés.

Il est apparu que cet air émanait d'un lecteur de CD. Là dehors, cinq ou six couples dansaient le tango, indifférents à l'attention qu'ils suscitaient. Nous avions retenu notre souffle devant l'étrange beauté de ce spectacle puis, pour finir, nous nous étions éloignés main dans la main. Je n'oublierai pourtant jamais la magie de ce soir d'hiver à Saint-Tropez. Et Jack non plus, à mon avis.

Avec un soupir, j'ai enfilé un nouveau pull, enroulé autour de mon cou la longue écharpe que m'avait tricotée Mlle N – écharpe qui me serait sans doute tombée encore plus bas que les genoux si mon amie avait prolongé son séjour –, et je me suis dirigée vers la crique.

J'ai marché en frissonnant, tête baissée, les pieds éclaboussés par les vagues et le nez rougi par le froid, jusqu'à ce que j'entende siffler. Jack courait vers moi, accompagné de Sale Chien qui bondissait comme un fou autour de lui.

Je me suis figée. Ça y est, ai-je supposé. Il est venu me faire ses adieux.

Sale Chien m'a rejointe le premier et a commencé à sautiller autour de moi sans comprendre pourquoi je l'ignorais. Oh, Sale Chien, ai-je pensé, tu es le plus beau cabot du monde. Mais je n'ai pas le courage de te dire au revoir. Laisse-moi, maintenant, va retrouver ton maître.

— Lola !

J'ai continué à fixer mes pieds gelés dans mes sandales.

— Lola ! a répété Jack. (Il s'est approché, sans me toucher.) Le sloop a une avarie. Je suis obligé de le mettre en cale sèche le temps de le réparer.

— Oh ? Ça signifie donc que tu restes encore un peu ?

Je ne savais pas si j'en avais envie. Je ne me sentais pas la force d'en repasser par là dans quelques mois, quand il faudrait se séparer, pour de bon cette fois.

— En fait, je vais procéder à une révision complète. J'ai réfléchi et je crois qu'il ferait un joli bateau de plaisance pour nos clients. Tu sais : on organiserait des croisières au coucher du soleil, des parties de pêche, ce genre de trucs.

J'ai relevé la tête.

— Des croisières au coucher du soleil ?

— Oui. Après tout, ils ne trouveront pas de meilleur capitaine que moi.

— Non, en effet, ai-je opiné.

330

Jack a sautillé sur place pour tenter de se réchauffer. Avec son jean délavé et son vieux sweat-shirt, il était tout simplement irrésistible.

— Alors, qu'en dis-tu ?

Il s'est immobilisé et a porté à ses joues mes mains engourdies par le froid.

— Qu'en dis-tu, Lola ? a-t-il répété.

— De quoi ?

Les yeux me piquaient – la faute au vent, me suis-je dit avec mauvaise foi. Jack a alors mis un genou à terre.

— Veux-tu m'épouser ?

— Oh, *ça*... ai-je fait avec désinvolture, avant de l'examiner bouche bée. *Quoi ?*

— S'il te plaît, Lola, veux-tu m'épouser ?

Une vague s'est écrasée sur mes pieds, mais j'y ai à peine prêté attention.

— Tu veux te marier avec moi ?

— Exactement. Dépêche-toi, maintenant, et réponds oui avant qu'on finisse tous les deux frigorifiés.

— Tu es sérieux ?

— Je n'ai jamais été aussi sérieux.

— Mais ton bateau, ton voyage, ta vie de marin... Tu arriveras à rester au même endroit ?

— On résoudra ça ensemble, m'a-t-il assuré en me décochant l'un de ses coups d'œil appuyés qui me faisaient craquer.

Mon cœur a bondi dans ma poitrine. Moi-même, j'ai eu le sentiment de décoller du sol.

— Reprends depuis le début.

— Bon sang, un peu, que tu vas m'épouser !

331

Et il m'a soulevée de terre. Nous avons ri et échangé des baisers tandis que Sale Chien sautait et aboyait comme un fou autour de nous. Jack m'a alors avoué dans un murmure combien il m'aimait, et une foule d'autres choses inavouables. Je me délectais de ces douces paroles quand il s'est écarté de moi, le visage tourné vers le ciel.

— Regarde ce que les dieux nous envoient en cadeau, Lola.

Des flocons tombaient doucement sur la plage.

— De la neige ! me suis-je écriée. Il neige sur la Côte d'Azur !

Nous nous sommes jetés dans les bras l'un de l'autre, et lorsque enfin nous avons repris notre souffle, j'ai dû essuyer mes larmes – des larmes de joie bien sûr.

— Au fait, c'est d'accord, ai-je annoncé.

Il a fait mine de ne pas comprendre.

— D'accord pour quoi ?

— J'étudierai ta proposition.

— Et comment ! a-t-il rétorqué tandis que, serrée contre lui, je sentais la chaleur de son corps faire fondre mon cœur refroidi.

Épilogue

Le ciel de mai était d'un rose limpide à cette heure matinale. Sur le chemin qui menait à la cuisine, je me suis arrêtée pour observer le lever paresseux du soleil au-dessus de l'horizon. Ses rayons ont paré d'or la mer, puis le sommet des arbres, puis les toits, jusqu'à embraser la nature tout entière.

Quelle chance de pouvoir admirer chaque jour ce spectacle, ai-je pensé. Quelle chance d'aller de nouveau au marché et de voir que les affaires reprenaient à l'hôtel Riviera, où déjà six clients ne tarderaient pas à s'éveiller et à réclamer des croissants pour accompagner leur café.

Et quelle chance surtout d'avoir passé une nuit sans souci dans les bras de celui que j'aime, le très séduisant et merveilleux capitaine du *Sale Chien*, à présent maître de mon cœur. Je suis trop fleur bleue, peut-être, mais je n'ai jamais rien éprouvé de tel. Je suis raide dingue amoureuse, et cette fois de quelqu'un qui m'aime vraiment.

Comment puis-je le savoir ? Eh bien, parce que c'est Jack Farrar lui-même, ce vagabond, cet écumeur des mers, cet homme habitué à traîner dans tous les ports du monde, qui me l'a dit. Et pour me le prouver, il m'a épousée le jour du nouvel an dans la petite église de Saint-Tropez.

Les habitants de la ville ont fini par nous adopter, et beaucoup ont assisté à la cérémonie, y compris les pompiers qui avaient sauvé l'hôtel des flammes et quelques gendarmes locaux, venus nous témoigner leur soutien.

Très élégant dans son costume bleu marine, Jack ne m'a pas quittée des yeux tandis que je remontais vers lui l'allée centrale de l'église. Sale Chien trottait derrière moi, sage pour une fois, bien qu'il ait tout de même reniflé les chaussures du prêtre. Chocolat, lui, avait dû rester à l'hôtel – nous doutions de ses manières en public.

J'avais opté pour une robe en dentelle très décolletée. Une robe sexy, donc, en accord avec mon humeur. À cela s'ajoutaient des pendants d'oreilles en perles, un bouquet de roses rouges et, comme d'habitude, des chaussures à bouts pointus qui me sciaient les pieds.

Quelques enfants ont jeté des pétales sur notre passage lorsque nous sommes sortis de l'église et, à voir la mine des gens que nous avons salués, j'aurais juré que notre bonheur était contagieux. Le dîner s'est ensuite déroulé dans un bistro de la place des Lices. Agrippée à Jack, je pétillais autant que le champagne dans mon verre, tandis que tout le monde riait autour de nous, que l'orchestre jouait sous les platanes et que les amoureux s'embrassaient dans les recoins. Plus tard, nous avons regagné le sloop pour une croisière de trois jours en Méditerranée. Moi qui détestais les bateaux, j'ai changé d'avis. Faire l'amour bercé par les vagues peut avoir cet effet-là...

Sale Chien est venu avec nous, bien sûr. Il nous accompagne partout. Le soir, il dort au pied de notre lit tandis que Chocolat s'installe sur mon oreiller. Du moins le soir, parce que, vienne le matin, sa petite truffe noire est en général appuyée contre mon menton. Dès que j'ouvre les yeux, je les découvre tous les deux qui me fixent avec impatience. Je sais que Sale Chien veut que je l'emmène au marché. Comme moi, il est obsédé par la nourriture, alors que Chocolat – comme moi, là encore – ne réclame que de l'affection.

Jack continue à se rendre régulièrement dans son chantier naval du Rhode Island, mais il a chargé Carlos d'en assurer la direction. Il compte à présent ouvrir un atelier ici et n'a pas renoncé à son projet d'organiser des croisières pour nos clients.

Il ne manque donc plus rien à mon nid douillet. J'ai trouvé quelqu'un à aimer, quelqu'un avec qui rire et faire l'amour – et je dois avouer que faire l'amour avec Jack Farrar me donne des frissons jusqu'aux orteils.

J'ai soupiré de bonheur en longeant la terrasse vers la cuisine. Nadine m'a accueillie avec un large sourire pendant que notre nouvelle employée, sosie de Marit, roulait la pâte à croissants. Notre « jeune à tout faire » était en retard – à cet égard, rien n'a changé à l'hôtel Riviera.

Après avoir bu mon café et consulté Nadine, j'ai établi le menu du dîner : homard avec une sauce à l'aïoli, salade de mesclun aux champignons et au parmesan, carré d'agneau de Sisteron et, en dessert, pourquoi pas ma fameuse crème brûlée à la lavande ? Munie de ma liste de courses, j'ai sifflé Sale Chien et filé vers ma voiture. À peine ai-je eu le temps d'ouvrir la portière qu'il a sauté à l'intérieur. Assis sur le siège passager, la langue pendante, il m'a toisée d'un air pressé. Je me suis demandé si, à l'image de son maître, il ne supportait pas l'idée d'être loin de moi ou si c'étaient juste les friandises qu'il parvenait à glaner sur le marché qui expliquaient son comportement. Les vendeurs le connaissent tous maintenant, et la plupart lui donnent quelque chose à manger chaque fois qu'ils le voient. Au point d'ailleurs qu'il engraisse à vue d'œil.

— Un régime te ferait du bien…

Au même moment, Jack a surgi à l'angle de l'hôtel, remontant son short d'une main et me faisant signe de l'autre.

— Qu'y a-t-il ?

— Ne pars plus jamais sans me dire au revoir ! s'est-il exclamé, avant de m'envelopper dans ses bras et de m'attirer contre lui.

— Tu dormais.

— Réveille-moi, alors. Mais ne pars pas comme ça. Jamais.

— Promis.

Nos regards se sont croisés, comme pour sceller ce serment, puis je me suis engagée sur l'allée au volant de ma bonne vieille 2 CV. Au niveau de l'intersection avec la route, j'ai marqué une courte pause pour admirer notre nouveau panneau : BIENVENUE À L'HÔTEL RIVIERA – UNE NOUVELLE ÉQUIPE VOUS Y ATTEND. Fidèle à sa promesse, notre hôtel, modeste mais parfait, réserve toujours un grand accueil à ses clients...

Jack, moi, et aussi Mlle N sommes d'ailleurs impatients de vous y revoir afin de passer avec vous de longues journées d'été sur la plage, de tester nos croisières et de partager de bons repas sur la terrasse, là où le vin est bon, les hommes séduisants et la nourriture aussi délicieuse que faire se peut.

À bientôt, mes amis !

Remerciements

Merci à tous les êtres qui me sont chers : mon agent et amie, Anne Sibbald, et ses collègues de Janklow & Nesbit Associates, qui prennent si bien soin de moi. Mon éditeur, Jen Enderlin, pour ses remarques toujours pertinentes – et formulées avec tant de diplomatie ! Richard, mon mari, mon ami, mon compagnon de voyage, sans qui je n'aurais jamais connu le miracle de l'écriture. Et je n'oublie pas non plus Sunny, mon nouveau chat, qui veille à mes côtés tout au long de la rédaction de mes romans.

Achevé d'imprimer par N.I.I.A.G.
en juillet 2006
pour le compte de France Loisirs, Paris

N° d'éditeur : 46414
Dépôt légal : Mai 2006
Imprimé en Italie